最新預防醫學

39

日本健康暢銷書排行榜

世界的權威醫師

告訴您——如何遠離疾病、過著不生病的生活

遠離疾病的生活

全美首席胃腸科醫師的健康建議

最新腸內淨化、飲食法（體內酵素決定壽命）！預防疾病、提升免疫力！

只要使腸內保持乾淨，使「腸相」良好，就可以解決肥胖及生活習慣病！

亞爾巴特·愛因斯坦醫科大學外科教授
新谷弘實◎著

正義出版事業有限公司／印行

前

多年來，我利用胃視鏡為數十萬人檢查腸胃，基於這些經驗，我發現腸也有「相」。腸相是反映健康的鏡子。腸相好的人，亦即是腸黏膜呈現柔軟粉紅色、未殘留宿便的人，外表上看起來健康、有活力。腸相不好的人，也就是腸較硬、殘留宿便、易長息肉的人，身體必然會出現一些不良的狀況，例如已經罹患腸病或高血壓、糖尿病等生活習慣病。

癌症佔國人死因的第1位，其中像大腸癌、前列腺癌、乳癌的發病率逐年提升。毫不例外的，這些癌症病患全都出現不良的腸相。

影響腸相的關鍵，在於每天的飲食。近數十年來，肉類或乳製品的攝取量暴增，而穀物、蔬菜的攝取量卻大幅減少。24小時營業的便利超商，為人們帶來極大的方便，但人們的飲食卻因此而變得不規律，

飲食生活失調，造成腸相日益惡化。

腸相惡化的人，排便不規律。現代人多半有便秘或腹瀉等腸方面的毛病，腸內環境惡化，對全身健康造成不良的影響，最後引發癌症或生活習慣病。

希望各位能夠注意到「排泄」的問題。每天能夠順暢的排泄，才能夠維持健康，過著幸福的人生。使用咖啡液清洗大腸左側的洗腸法，能夠調整腸內環境，幫助腸的整體功能恢復正常，同時也有助於恢復肝功能，預防生活習慣病。

當然，想要正常的排泄，需要擁有規律正常的飲食生活。少吃肉類、乳製品等動物性食品，以穀物、蔬菜、豆類、海藻等植物性食品為主，大量的飲用好水，藉此改善飲食生活，則任何人每天都能夠順暢的排泄。追求健康長壽是每個人共同的願望，本書基於臨床結論，提供健康長壽的方法，希望能夠幫助大家創造健康幸福的人生。

序言

～～是否健康以及會不會罹患癌症都必須由飲食和排泄來決定～～

佔國人死因第1位的疾病就是癌症。近年來，國內急增的癌症是大腸癌，原因之一就是飲食生活歐美化。

我在美國和日本以內視鏡檢查了30萬人的胃腸，基於豐富的臨床經驗，了解到胃腸狀態與全身的健康狀態有密切的關係。

簡單的說，黏膜皺襞微粉紅色、沒有息肉或宿便殘留、胃腸乾淨的人，看起來比較年輕，而且健康狀態良好。相反的，胃腸有息肉或有宿便積存的人，看起來比較老，而且大多會罹患生活習慣病。

胃或腸的狀態是反映全身狀態的鏡子。狀態較差時，臉色不好。胃和腸的「相」會發出身體健康與否的警告。換言之，建立好的「胃相」及

「腸相」，是預防疾病及長壽的重要關鍵。

要建立好的胃相與腸相，則每天的飲食與生活習慣很重要。與飲食一樣重要的是正確的排泄。理想的情形是食物在24小時之內排泄掉。而其方法之一就是咖啡灌腸法。咖啡灌腸法是利用咖啡沖洗掉腸內糞便的方法。這個方法不僅能夠排泄掉糞便，更能夠排泄掉體內的毒素，具有提高肝功能的效果，在美國深獲好評，而且具有強勁的爆發力。

本書的主要內容如下。

第1章　「咖啡灌腸法的理論解說」

第2章　咖啡灌腸法體驗談

第3章　掌管人類壽命根源的「酵素」

第4章　佔人體7成的「水」

第5章　應該巧妙攝取的「營養輔助食品」

以上這些都是我們還不知道，但是對健康而言卻是十分重要的內容。我再三強調，我們的身體是藉由飲食和生活習慣建立起來的。而癌症也可以藉由飲食和生活習慣來預防。

如果各位讀者能因閱讀本書而守護身體的健康，那將是作者最大的喜悅。

紐約診所　新谷弘實

目

目錄

第2章

真有效！治好了！咖啡灌腸法的體驗者報告 63

第3章

目錄

第4章

使身體新陳代謝順暢、避免罹患疾病的飲水法

第5章

有助於健康的輔助食品與親身體驗者的感人心聲

正確的利用輔助食品能夠增進健康，同時提高營養素的消化及吸收，防患老化及疾病於未然・164

第1章

可去除難治便秘、宿便的簡易「咖啡灌腸法」

利用咖啡灌腸法去除腸內宿便，

就可以消除生活習慣病及肥胖

1～1 胃或腸的「相」是反映全身健康狀態的鏡子

★看了胃腸的相，就可以掌握生活習慣病或癌症等疾病

我爲了尋求新醫學的可能性，在1963年成爲外科研修醫師到美國留學。

當時的醫學對於尚未癌化的胃腸息肉是動手術剖腹取出。但是我卻懷疑，以對患者會造成許多負擔的剖腹手術處理1～2cm的大腸息肉，是適當的方法嗎？

到美國4年之後，我得到能夠觀察胃和大腸內部情況的內視鏡（正確的說，當時觀察食道和胃的機械稱爲「胃內照相纖維鏡」，而觀察大腸的機械則稱爲「大腸纖維鏡」）。當時我想，在美國是否有很多大腸息肉患者可以經由這種機械予以切除？如果不動剖腹手術就能切除大腸息肉，則內視鏡的

外科技術將會有飛躍的進步，而最重要的就是，可以減輕手術對患者造成肉體及精神上的負擔。

經過數次臨床實驗，終於在１９６９年可以不必動剖腹手術，直接利用腸內纖維鏡成功的進行大腸息肉切除手術。這是世界首例。

１９７１年，在佛羅里達舉行美國胃腸內視鏡學會中，透過由16釐米膠捲拍攝的內視鏡手術切除息肉技術而發表其成果。

會場裡的１０００名內視鏡醫師全都起立鼓掌。當時的情景至今歷歷在目。

這項技術，推翻了長年以來的外科技術（醫學的）常識，即使在極富進取心的美國，也無法立刻接受這個事實。這項技術剛發表之初，很多人懷疑「是否真的不具危險性」，但是後來我所開發的方法在胃腸專門醫師與外科醫師（醫學界）之間迅速擴展，現在以內視鏡方法來進行胃及大腸的檢查或息肉切除手術，已經被視爲理所當然的方法了。

之後30幾年來，我擔任內視鏡的專門醫師，在美國和日本檢查了30萬多名患者的胃腸。基於豐富的經驗，發現人類的胃腸有「胃相」及「腸相」。就像身體不佳時臉色不好一樣，個人健康狀況的好壞會表現在胃相及腸相上。

30幾歲起胃相或腸相變得不好的人，大多罹患了高血壓、痛風、高血脂症或糖尿病等生活習慣病，甚至有可能會得癌症。相反的，胃腸相好的人，即使進入老年期，身體狀態也很好，外表看起來很健康，比實際年齡來得年輕。

疾病就好像天氣一樣，不會從晴朗的天空突然下起雨來。天氣一定是由晴變陰，再由陰變雨。疾病也是一樣的，「覺得身體變差」的情況持續好幾年，然後才真的轉爲疾病。這時如果能夠察覺到，努力的將身體拉回健康的狀態，就不會有問題，但是很多人在被宣告罹患疾病之前，什麼也不做，令醫師們感到非常遺憾。

我非常執著於胃相、腸相的觀念，就是因為它是了解自己目前健康狀態的標準。

我根據經驗，可以充滿自信的說，能夠建立好的胃相、腸相，並且隨時擁有如兒童般的胃相、腸相，正是健康的關鍵，同時也是一種長壽法。

胃腸會受到食物的影響，因此在建立好的胃相或腸相方面，飲食與水及排泄具有重要的作用。目前正在看本書的你，即使胃相、腸相並不好，但只要改善飲食生活，就能夠形成好的胃腸相。

1～2 好的胃相與腸相是藉由飲食建立起來的

★使胃相或腸相良好的飲食能夠防止生活習慣病或癌症

胃與腸相連，所以不可能出現其中一樣好、另一樣卻不好的情況。在此簡單說明好的胃相與腸相的特徵。

①好的胃相及腸相爲黏膜柔軟，整體呈現均勻美麗的粉紅色狀態。以內視鏡檢查而空氣進入時，會立刻膨脹。

②不好的胃相看起來顏色髒髒的。胃的表面顏色雜亂，可能是紅色、白色、粉紅色等參差不齊，而且表面的黏膜也凹凸不平。

③不好的腸相與胃相一樣，顏色髒髒的，而且表面的黏膜皺襞不平滑，甚至變形，就好像從外面用橡皮筋勒緊的情況一樣。此外，也可能會出現腸中存在息肉或黏膜皺襞有糞便積存的宿便現象。

在進行內視鏡檢查之前要服用瀉藥，因此通常應該不會有糞便殘留。檢查時有糞便或水分殘留的人，就表示平常有嚴重的便秘，甚至會因爲息肉或癌症等而使腸內出現異常的症狀。另一個特徵是有腐臭味。這是因爲攝取過多的肉或乳製品等動物性蛋白質在腸內腐敗，產生有毒的氣體所致。

中年以後，具有這些胃相或腸相的人，大多會罹患便秘、肥胖、高血壓、糖尿病、高血脂症、動脈硬化等生活習慣病或癌症等疾病。即使還沒有罹患這些疾病，但是在不久的將來罹患這些疾病的可能性也很大，就算年紀還輕，也不能夠掉以輕心。

我觀察日本和美國兩國患者的胃腸，發現胃相、腸相的好壞是飲食生活造成的。英語有句話説：You are what you eat.，也就是説，你的身體狀況是由你所吃的食物製造出來的。換言之，「你的身體是由食物創造出來的」。現在佔國人死因第1位的癌症，也是因爲錯誤的飲食生活造成的。

一般人的腸相

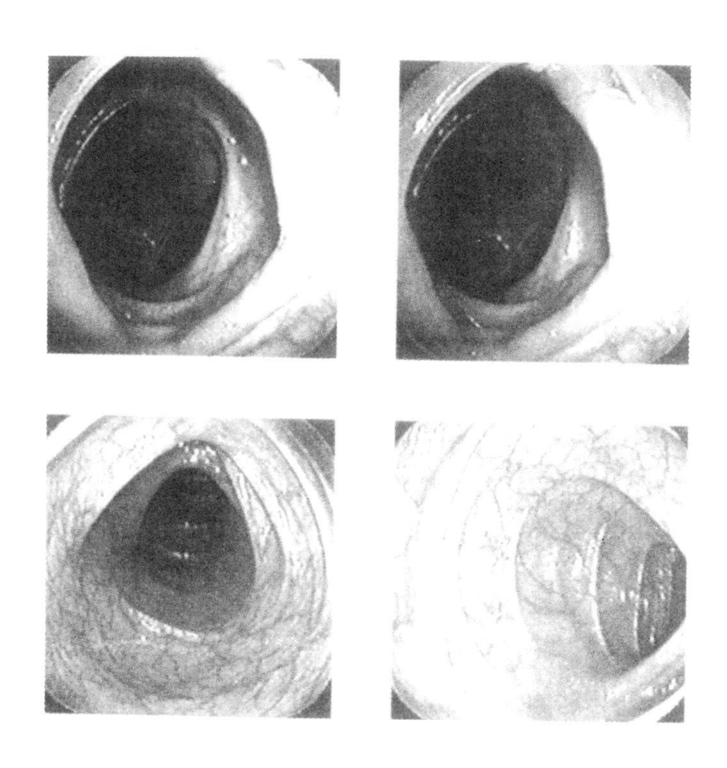

好的腸相

以未精製的穀物、副穀物為主食，大量攝取蔬菜類、海藻類、水果，減少肉類及乳製品的攝取量，在半年到 1 年內可以形成好的腸相。

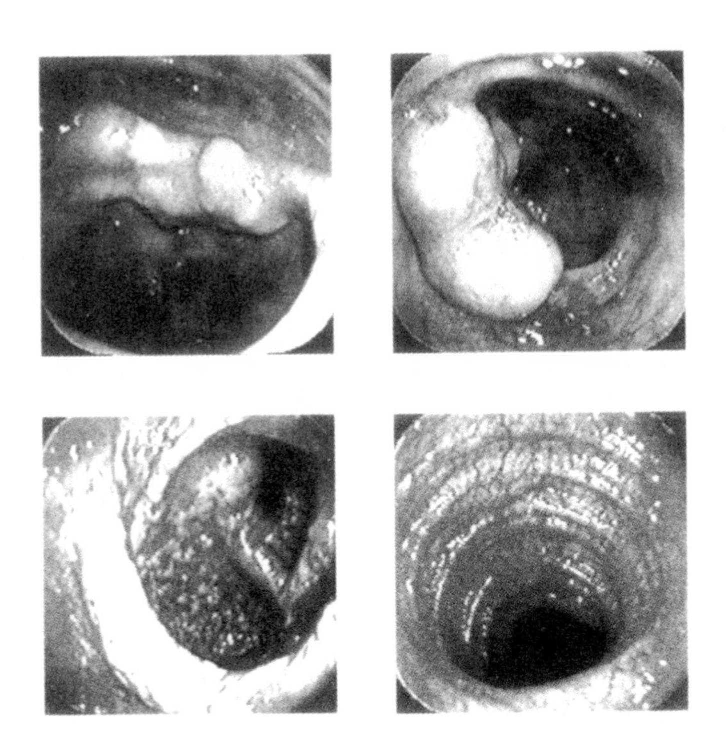

不好的腸相

不以未精製的穀物、五穀雜糧為主食，蔬菜類、海藻類、水果的攝取量較少而肉類攝取較多的飲食生活，在1～2年內，就會發現有息肉和宿便殘存，形成不好的腸相。

1～3

肉食信仰使腸相惡化，成為罹患癌症的原因

★美國的飲食生活使大腸癌急增

一想到美國人，會不會有吃厚厚牛排的印象呢？

事實上，美國在1950～1970年代，非常相信「要創造體力就要吃肉」的說法，拚命追求高蛋白、高脂肪的飲食。

但是攝取這類飲食的美國人的腸相是屬於惡相。腸既硬又短，內徑狹窄，有宿便積存。這些人會出現大腸痙攣症或憩室症（腸的黏膜皺襞出現如口袋般的陷凹狀態），同時還有大腸息肉或大腸癌、乳癌、前列腺癌等。而且非常的胖，還會併發心臟病或高血壓等生活習慣病。

我從1980年開始，定期回去日本檢查日本患者。令人驚訝的是，日本人的腸相與美國人的腸相非常類似。也就是說，日本人學習美國人攝取以

肉食爲主的高蛋白、高脂肪飲食，而以往日本優良食物的穀類、蔬菜、海藻、水果等自然食物纖維的攝取量大量減少，因而造成這種情況。

肉食較多的美國人，其大腸息肉和大腸癌的發生率極高。成人8～10人當中就有1人有大腸息肉，1年有13萬～14萬人罹患大腸癌。這就是持續攝取高蛋白、高脂肪食的美國人的實況。

在日本，這種情況也有增加的趨勢。日本在1981年，癌症超過腦中風，成爲死亡原因第1位，而大腸癌也快速急增。根據日本厚生省的統計，1955年，10萬人當中大腸癌患者爲6840人，到了1988年時，增加爲3萬4397人。這40年來成長了2倍以上。1996年，大腸癌爲女性罹患癌症的第2位，男性的第4位。

1977年，美國政府發表「馬克加邦報告」。在這份報告裡，參議院營養特別委員會的院長喬治・S・馬克加邦提到，美國主要死因疾病起因於飲食生活，故減少動物性脂肪攝取量或攝取未精製的穀物、蔬菜、水果類，

就能夠減少疾病，並且可以削減高額的醫療費用。

美國在接下來5年認爲醫療費用可能會超過1000兆美元，因而引發危機感，於是大力進行預防醫學的指導。沒有國民健康保險制度的美國，自己的健康靠自己守護的意識十分強烈。改善飲食生活的近10年來，癌症已有減少的傾向。

美國人很愛吃肉，蔬菜攝取量也很多。此外，反省以往的飲食生活之後，從20年前開始，採取以魚爲主的低脂肪食、未精製的穀物及豆類的飲食。

但是美國飲食中高蛋白、高脂肪食等不良的部分，卻是使得日本人持續罹患癌症，而且今後仍有可能不斷的增加。

在日本急增的大腸癌（結腸癌＋直腸癌）

圖表是根據不同癌症致死的癌症死亡者製成。由多到少，男性為①肺癌、②胃癌、③肝癌、④大腸癌。女性則為①胃癌、②大腸癌、③肺癌、④肝癌、⑤乳癌。女性罹患大腸癌主要的原因是便秘，而男性肺癌較多，則可能和抽菸有關。

男性的情形

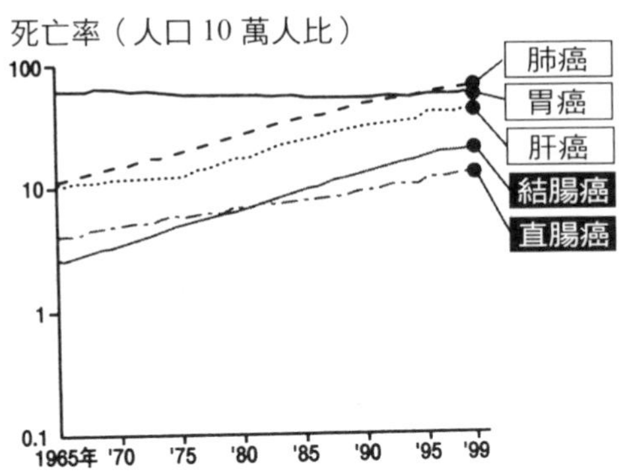

女性的情形

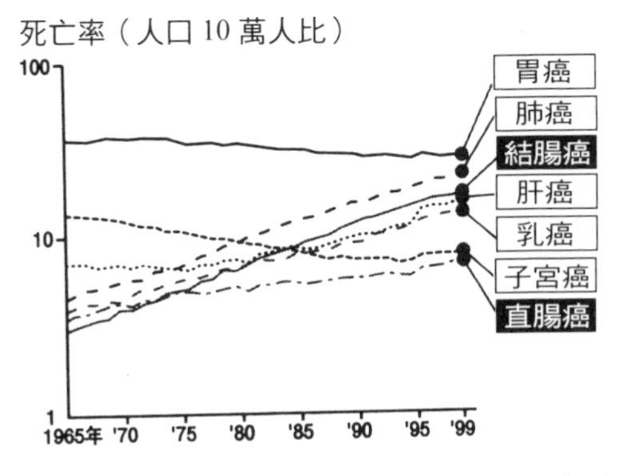

・圖表根據『惡性新生物死亡總計』（厚生省統計協會發行，2001年）

1～4 長期便秘會引起息肉或癌症

★腸內產生的毒素會成為癌症或生活習慣病的原因

腸相不好的原因之一就是便秘，其中大多是因爲飲食生活或水的攝取不足，以及壓力等原因而引起的習慣性便秘。

習慣性便秘有以下2種。

①弛緩性便秘

腸的收縮和緊張的活動功能降低，送出糞便所需的蠕動運動減弱，糞便無法排出的狀態，稱爲弛緩性便秘。在這種狀態下，即使每天排便，但是仍有大量糞便殘留在結腸上方，會出現惡臭的氣體，腹部也會有膨脹感。

②痙攣性便秘

簡單的說，痙攣性便秘是與弛緩性便秘相反的狀態。腸的痙攣或收縮的

力道很強，在腸管周圍間隔不遠處，一直保持著好像被橡皮筋勒緊的狀態。

痙攣的腸與腸之間形成一些空間，這些地方容易積存糞便或氣體，於是大腸無法順暢的排出糞便或氣體。這些物質淤滯在大腸內，形成便秘。因此腸的皺襞黏膜或腸的痙攣之間就會有糞便殘留。

雖然形態不同，但是便秘的最大原因就在於飲食生活。

蔬菜、海藻類、水果、未精製的穀物等植物性食品吃得不多，卻攝取太多肉類或脂肪、牛奶、乳酪、優酪等高蛋白飲食的人，或是魚貝類占飲食量一半以上的人，比較容易罹患便秘。此外，大量攝取肉或乳製品等，容易在腸的各處形成憩室（袋狀的陷凹），使得腸的流通不順暢，宿便積存在腸的黏膜皺襞附近，於是容易產生大腸息肉或大腸癌。

便秘有害身體的理由不僅如此而已。

簡單的說，經口進入的食物就像體內的廚餘一樣。試想，如果廚餘不丟到外面去而放在家裡，會變成什麼情況呢？經過一段時間就會腐臭，整個家

裡充滿惡臭，令人難以忍受。而同樣的狀態也會發生在腸內。

食物無法順暢的排泄掉，腸內積存糞便的狀態持續下去，則腸內就會產生毒素和腐敗物質，那就是硫化氫、酚、糞臭素、吲哚、氨、甲烷，還有組織胺等許多的胺類。

像這樣的腸內，容易產生具有強烈毒性的活性氣。這種有害物質會刺激腸黏膜細胞的DNA，將其破壞，於是大腸內部就容易發生息肉或癌症。此外，經由血液吸收後循環全身，會損傷身體細胞的DNA（基因）等，也會成爲引起各種癌症的原因。

這種狀態在短時間內持續下去，會使得腸內細菌平衡失調。腸內細菌，就是棲息在大腸和小腸中的100～120兆的菌類。它們不僅在腸內作用，對於提高全身的免疫力等也都具有重要的作用。

當腸內細菌的平衡瓦解時，在腸內的害菌增加，不僅會產生很多毒素和腐敗物，而且腸內細菌所掌管的全身免疫力也會減退。因此食物一定要在24

小時內排泄掉。

便秘一定有原因。要改善便秘，首先就是要維持正常的飲食生活，充分攝取水分。關於飲食的具體攝取方法，稍後會詳細說明。我所建議的飲食法可以改善便秘，然而不能夠好好的實行飲食法，或是經常使用便秘藥的人，則可以利用咖啡灌腸法。

1～5

慢性便秘藥會使腸相惡化

★長期使用漢方藥或蘆薈，對腸而言會成為毒

相信各位已經了解，便秘長期持續下去時，糞便就會在腸中積存而危害人體了。但是各位還要注意一點，那就是長期使用便秘藥的害處。在美國，便秘藥多達四萬五千種，而在我國，也有很多人會到藥局去購買便秘藥。藥會促進大腸的蠕動運動，促進排便，這是很不自然的方法。

有些經常使用便秘藥的人會認為，「漢方藥不是藥，所以可以安心使用」。

漢方藥中有很多會使排便順暢的藥草，長期服用漢方藥的人，腸會出現強烈的痙攣或收縮，結果不僅是便秘，還會反覆出現下痢與便秘的現象。痙攣性便秘就是因為經常使用便秘藥而造成的。

此外，其中所含的化學物質會使腸黏膜變色、發黑，造成色素沈著症。腸黏膜變黑，就會變成容易出現息肉或癌症的狀態。所以使用漢方藥處方的人，首先必須確認裡面是否含有促使排便順暢的藥草。

即使是漢方藥，也一樣是藥物，同樣會有副作用，一定要避免長期使用。在服用時，一定要先確認對自己而言的必要性和安全性。此外，像蘆薈、番瀉葉、花草等具有瀉藥效果的藥草，也會引起色素沈著的現象。我的意思並不是說蘆薈、番瀉葉或花草類等不好，但是如果長期每天飲用，則腸黏膜會產生毒性，所以並不好。任何事情都是「過猶不及」。

市售的便秘藥也是藥物，長期服用會對身體造成不良的影響，尤其會使肝功能惡化。對腸黏膜而言，化學物質是毒物。利用內視鏡觀察腸相時，會發現腸黏膜像蛇皮一樣發黑、顏色不均勻。醫師診斷腸的這種狀態爲「結腸色素沈著症」。到了這種狀況，腸已經失去原有的作用，無法恢復自然的排泄能力。

番瀉葉或蘆薈等市售的自然便秘藥，或是藥草中都含有化學物質，使用2～3個月以上，就會使腸黏膜出現色素沈著，如果不增加藥量，效果就會減退，於是造成惡性循環。有便秘傾向時，應該自覺到原因爲何。這時應該改善飲食生活習慣，喝大量的水，短期內每天在決定好的時間使用市售的塞劑或灌腸法，使排便恢復正常，這是最重要的。

使用便秘藥時也是如此。持續使用1～2週後，如果不停止使用，就會影響治好便秘的努力，形成惡性循環。長期使用便秘藥的人，一定要開始進行咖啡灌腸法。如此一來，在3～6個月之內，就可以消除便秘藥所造成的色素沈著及腸痙攣現象等不良影響，恢復爲正常、乾淨的腸相。此外，長期使用便秘藥，會阻礙礦物質等營養的吸收，同時也可能引起貧血、骨質疏鬆症、肝功能障礙等。

便秘藥不好的 5 個理由

1. 基本上對身體而言，藥物是毒，會對身體造成不良的影響。
2. 常用便秘藥會使腸喪失原有的自然正常排泄的能力。
3. 慢性使用會造成腸內環境惡化。其中所含的化學物質會使腸黏膜變黑，容易出現息肉或癌症。此外，大腸會引起強烈的痙攣，出現便秘或下痢的現象，無法輕鬆的排便。
4. 慢性使用，會引起肝功能障礙，使得γ-**GTP** 上升。
5. 會抑制營養的吸收，造成營養不良（貧血），有引起骨質疏鬆症的危險。尤其女性較多見。

1～6 不僅有益於腸，也具有使肝功能順暢的作用

★防止腸及肝功能減退，有效預防萬病

看到利用咖啡淨腸（灌腸）的這種建議，也許大家會覺得很奇怪。咖啡灌腸法是德裔美國醫師馬克思・格爾森所提倡的「格爾森療法」的一種，是具有60年的歷史悠久治療法。

關於馬克思・格爾森，我想簡單的說明一下。馬克思・格爾森（Max Gelson）於1881年出生於德國，擔任慕尼黑大學醫院結核專門部的部長。1993年到美國，取得紐約醫師執照。接下來的20年致力於末期癌症患者的治療。

格爾森以獨特的食物療法和咖啡灌腸法為軸，建立了「格爾森療法」，以此治療末期癌症患者，拯救了許多瀕臨死亡邊緣的患者。

食物療法的主要內容是，大量攝取蔬菜、未精製的穀類、芋類和豆類，控制動物性脂肪的攝取量，並且攝取含有較多必須不飽和脂肪酸α—亞麻酸的油，以這樣的想法爲主軸。

格爾森療法除了進行食物療法之外，還藉著咖啡灌腸法（1天3次左右）使得腸的功能恢復正常、肝功能順暢，讓腸徹底的進行解毒。

在此說明一下咖啡灌腸法幫助肝臟解毒的作用。

我們所攝取的食物，主要是在小腸消化吸收，然後透過門脈這個大靜脈運送到肝臟。肝臟除了吸收食物的營養物之外，同時也處理由腸吸收的毒素或老廢物。

肝臟可以說是處理全身毒素和老廢物的大工廠，對許多物質進行解毒。其內容相當廣泛，有①由腸的害菌製造出來，經由腸壁吸收、進入血液中的許多毒素（具體而言，就是硫化氫、糞臭素、吲哚、氨、組織胺、甲烷等）、②藥品等、③乙醇、④食品添加物、色素等。

肝臟對於這些毒素、老廢物進行解毒、中和處理，然後排出到肝內的小膽管。此時發揮作用的就是咖啡中所含有的咖啡因或茶鹼等成分。咖啡因等能夠使小膽管擴張，使得血液中的毒素和老廢物順利排出。

這些排泄物隨著膽汁被送到十二指腸，最後從糞便排泄掉。

有便秘或宿便現象，腸內環境不良時，就會產生大量的毒素硫化氫、氨、糞臭素、甲烷、組織胺等，也會產生活性氧（老化及癌症的原因）。肝臟要將這些全部處理掉，可以說是相當沈重的負擔。如果長期加諸過多的負擔，則體內最大的臟器的肝功能便會衰退。因此，攝取的食物最慢要在24小時之內成爲糞便，順暢的排泄掉。

看似無關的腸與肝臟，事實上具有密切的關係。腸與肝臟的功能減退，正是萬病的元兇。即使現在並未罹患疾病，但是也許會引起頭痛、肌膚乾燥、肥胖、面皰、倦怠、肩膀酸痛、腰痛、慢性疲勞等症狀。

肝功能不良時，由大腸吸收的毒物或有毒氣體無法完全消除，結果毒素

在血液中蔓延，污染血液，使得血液循環或淋巴腺的循環不順暢。

如此一來，從皮膚到心臟血管等身體所有的功能都會減退，無法順暢的進行新陳代謝，結果就容易引起息肉、大腸癌、潰瘍性大腸癌、克羅恩病等大腸病，以及糖尿病、膠原病、高血壓、風濕等疾病，還有乳癌、前列腺癌等癌症和各種皮膚病等。

要防止肝功能減退，就要避免糞便積存在大腸，以減少肝臟的負擔。這時，能夠促進排便、排出毒素的咖啡灌腸法，就能夠充分發揮重要的作用了。

1～7 可在家裡進行的簡便便秘改善法——恢復自然排泄力的咖啡灌腸法

★具有淨腸、一舉排泄宿便及毒素的效果

改善便秘、使腸乾淨的方法就是咖啡灌腸法。這是用咖啡沖洗腸內的方法，也稱爲咖啡淨腸法。

如果大腸內的糞便積存24小時以上，則全身的恆常性功能（生物體恆常功能）就會瓦解，免疫力和自然治癒力會隨之減退，成爲疾病的原因。此外，腸內也容易產生糞臭素、吲哚、胺類、氨等有害物質及活性氧。活性氧幾乎是所有生活習慣病、癌症以及老化的最大原因。消除便秘，形成好的腸相，就是預防老化及疾病的秘訣。此外，也能夠使皮膚美麗，有助於消除肥胖。

大量喝咖啡，會損傷小腸內好的腸內細菌，但若使用灌腸法（淨腸），

則具有以下的優點。

①使用咖啡能夠刺激大腸，使得淤滯在腸內的糞便迅速排泄掉。

②血液中的毒素可以通過膽汁，排泄到體外。

血液中的毒素和老廢物會成為在肝臟製造出來的膽汁，進入總膽管、膽囊，經由十二指腸而隨著糞便一起排出體外。這時，肝臟內的小膽管和血管擴張，使得血液中的毒素容易排泄到膽汁內，如此一來就可以排泄毒素。

有助於這種作用的就是咖啡。咖啡中含有咖啡因、茶鹼等25種以上的有機酸。這些成分藉著灌腸方式由大腸少量吸收，通過門脈進入肝臟。如此一來，就能夠擴張肝臟內的小膽管，讓血液中的毒素和膽汁一起排泄掉。

如果是普通健康人或輕度便秘的人，1天進行1次咖啡灌腸法即可，咖啡液的使用量為500mℓ～1.2ℓ，在飯後1～2小時決定好的時間內進行即可。進行時間為30～40分鐘左右。進行咖啡灌腸法之後，可以縮短不消

化的食物停留在大腸內的時間。通常食物成爲糞便排泄掉，大約需要經過24～48小時，而利用咖啡灌腸法，可以將時間縮短爲12～24小時。肥胖者進行這種方法，具有減輕體重的效果。但這並不是以人工方式抑制腸內營養的消化、吸收所造成的結果，而是因爲身體的新陳代謝順暢，身體能夠更順暢的使用熱量，因此可以消除肥胖。想要減肥的人，不適合以減肥爲目的而使用這個方法。

咖啡灌腸法，是可以在家裡進行的既簡單又安全的便秘改善法。便秘一定有其原因，持續進行咖啡灌腸法，再加上正確的飲食生活，攝取足夠的水分，就能夠使腸恢復原有的正常功能。一旦腸恢復了原有的正常功能之後，就可以停止咖啡灌腸法，經過1天半之後自己就能夠排便，然後配合身體的規律，1天排便1～2次。

體內環境正常之後，有助於預防及治療成人病。此外，便秘的人容易依

賴的便秘藥，對於腸的活動或黏膜等的毒性會出現各種副作用。而利用咖啡灌腸法，有助於減少便秘藥的用量以及使用頻率。隨著副作用的消失，恢復原有的大腸功能之後，就能夠恢復正常的排泄作用。

咖啡灌腸法所具有的良好效果

1. 改善便秘，增加益菌，保持腸內細菌的平衡，顯著改善腸相。
2. 改善肝功能，使身體狀況良好。
3. 由於新陳代謝亢進，肥胖的人能夠瘦下來，具有減肥效果。
4. 促進血液循環、淋巴腺的循環，具有美肌效果，可以改善皮膚病。
5. 改善異位性皮膚炎、蕁麻疹等過敏症狀。
6. 排除體內毒素，改善慢性疲勞、頭痛或肩膀酸痛等症狀。
7. 對於預防及改善生活習慣病具有著效。
8. 有助於防止老化。

1～8 可以在家裡進行的簡單咖啡灌腸法（淨腸）的做法

★詳細介紹現在就可以立刻進行的500mℓ～1ℓ的做法

進行咖啡灌腸法的次數，原則上1天為1～2次。身體有一定的規律，所以重點在於每天要在相同的時間進行。在飯後1～2小時決定好的時間內進行較好。在此說明500mℓ～1ℓ的做法。最初從500mℓ開始，觀察腸的反應，再慢慢增加咖啡液量。在4～5天內增加為1ℓ的量最有效。最初不習慣的時候，由於液體會從肛門漏出來，所以最好在廁所或浴室等處脫光衣服來進行。結束之後，可以立刻淋浴或泡澡。

1

用研磨咖啡豆過濾出 1 杯咖啡。做法是豆子 10g（1.5 大匙），倒入 150mℓ的滾水中。不可使用即溶咖啡。

2

咖啡中加入溫水（37 度左右），增量為 500mℓ～1ℓ。咖啡液的溫度與體溫相同，手指稍微感覺溫暖即可。

灌腸所使用的灌腸器具或咖啡液有方便的市售品。圖片中是「SBB 洗淨器」，另外還有只要加入熱水就可以使用的咖啡液（罐裝型，含有乳酸菌生成萃取劑及天然礦物質）「SBC 咖啡」。

以這樣的方式掛著使用。如果沒有吊環，就安裝掛勾。

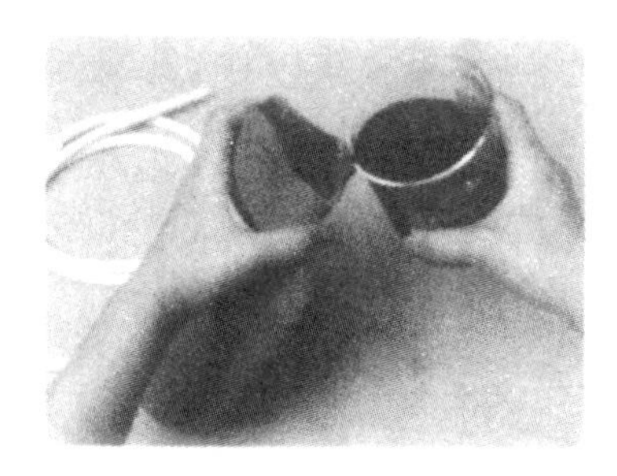

3

準備好灌腸用的器具。為了避免液體漏出，要先備妥用夾子夾住的管子，再倒入已做好的稀釋咖啡液。

4

放鬆夾子，流出少量的咖啡液。利用這個程序，去除留在橡皮管內的空氣，否則插入肛門時，液體無法順利流出（流出的咖啡液可以重複使用）。

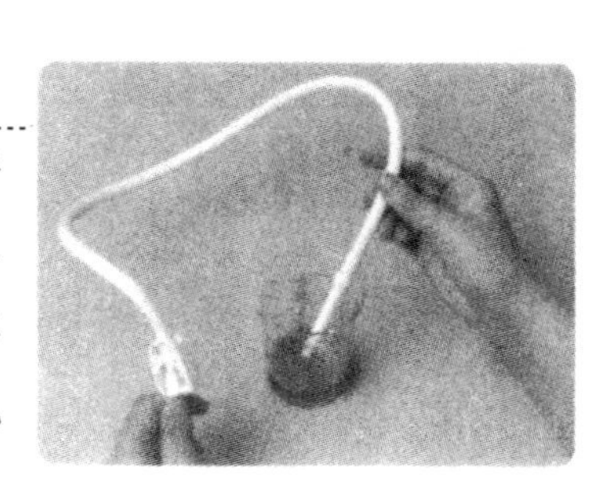

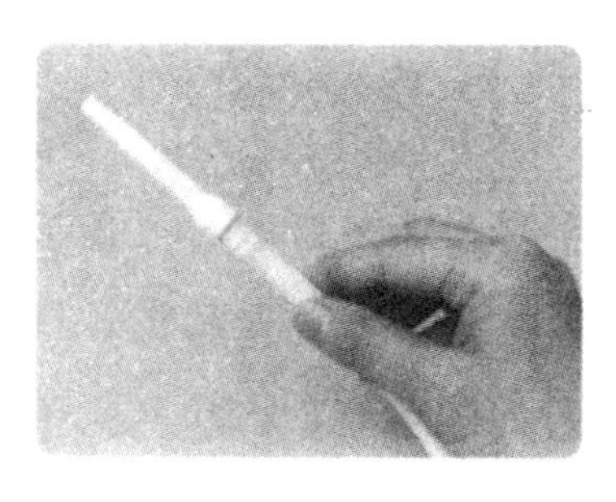

5

插入的管子由肛門往直腸插3～5cm 的距離。為了容易插入，前端可以塗抹乳液或凡士林等。

6

拿開夾子，流入咖啡液。大約2分鐘內，液體就會流完。在流入液體時，如果雙膝跪地、肩膀朝下，更能提高洗腸的效果。結束之後，夾上夾子，拔掉橡皮管。

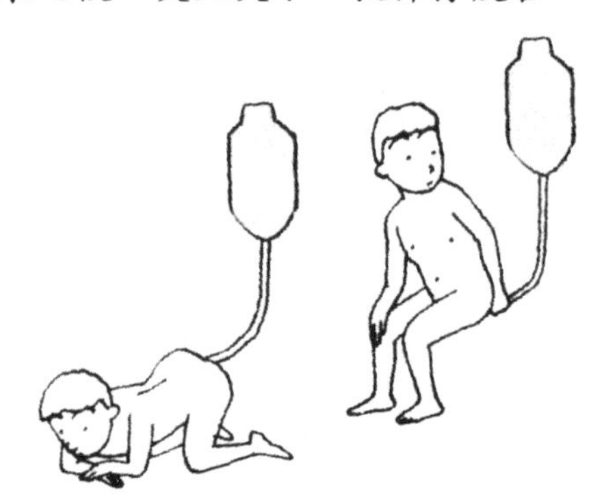

7

在咖啡液流入期間，如果產生強烈便意，可以立刻坐在馬桶上排泄。這時，由右往左，以順時鐘方向按摩腹部，更能增加排便效果。結束之後，用肛門洗淨器等洗淨肛門，並在肛門內側部分塗抹凡士林。

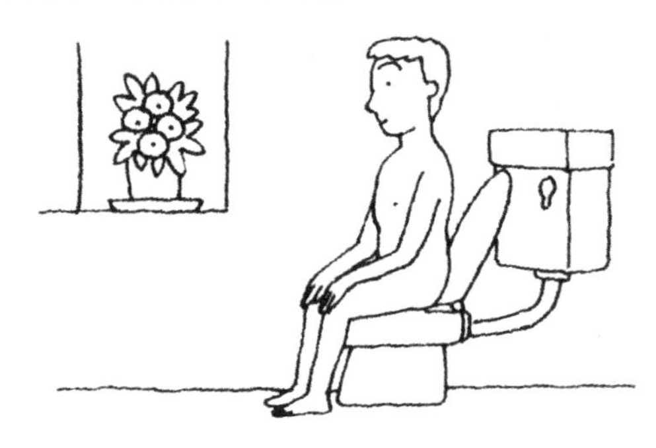

進行咖啡灌腸法的注意事項

進行咖啡灌腸法時，要先充分了解幾個重點。

①對於咖啡因等化學物質過敏的人，一定要將咖啡稀釋成4倍之後再使用。

②咖啡的酸會刺激肛門的皮膚，可能會使痔瘡惡化，引起裂痔、脫肛、肛門炎等。

因此腸洗淨之後，要用肥皂清洗肛門。為了預防痔瘡，可以將沾了肥皂的手指插入肛門內約2～3cm，然後用溫水清洗掉肥皂，再用紙或浴巾擦拭乾淨。最後再於肛門部塗抹凡士林等。

③腸突然急速排泄糞便，可能會引起體內鈉或鉀等礦物質的平衡失調，進而引起貧血現象。

因此，沒有體力或身體不好的人不可以進行這種灌腸法。

灌腸法使用的市售咖啡液，是濃度適當的咖啡中加入天然礦物質的咖啡液，不用擔心會出現礦物質平衡失調或貧血等症狀。

④進行的次數原則上為1天1次，但是如果排便不順暢，則可以分為早、晚兩次來進行。

⑤孕婦不可以進行。尤其在懷孕初期更是禁忌。

要遵照這些說明來進行咖啡灌腸法。罹患疾病的人，最好先請教胃腸專門醫師之後再進行。

1〜9 殺死腸內害菌，調整腸內環境

★使糞便迅速通過，防止腸內毒素發生

咖啡灌腸法能夠縮短糞便通過大腸的時間，同時也具有殺死大部分棲息在大腸，尤其是左側部分（降結腸、乙狀結腸、直腸）會引起腐敗的害菌的效果。

我們所吃的食物，經由食道、胃、十二指腸、小腸、結腸送到直腸，成爲糞便由肛門排泄掉。消化管的長度，全長爲8〜9m。

在此簡單說明經口進入的食物變成糞便排泄掉之前的體內流程。

①食物在口中充分咀嚼之後，開始進行消化。唾液中的消化酵素澱粉酶，能夠溶解澱粉。混合唾液的食物由口通過食道（約40cm），在3〜7秒內到達胃。

②在胃中的食物與pH值1．5～3的強酸性胃酸混合成爲酸性，藉著鹽酸及胃蛋白酶消化。進入胃中的食物，會停留在胃中3～6小時。但是像新鮮蔬菜或水果，其本身就具有酵素，因此消化得更快，由胃到腸的時間大約爲30～40分鐘。

③從胃送到十二指腸的食物，藉著膽汁和胰液消化。胰液中含有會溶解澱粉的肽酶，以及會溶解蛋白質的胰蛋白酶等酵素。此外，還可以藉著脂肪酶及膽汁分解脂肪。

④主要的營養的消化、吸收是在小腸進行。進入小腸的食物，混合肽酶、脂肪酶、胰蛋白酶等消化酵素而被分解掉，成爲營養素較小的微粒物。小腸長約6ｍ，通過小腸時會被小腸的絨毛（表面的突起）吸收。食物通過小腸的時間爲6～8小時。

⑤小腸吸收營養之後的食物殘渣被送到大腸。大腸吸收水分和礦物質之後，再送到直腸。在12、13～24小時之後，成爲糞便從肛門排泄掉。

在正常的情況下，食物被消化、吸收之後到成爲糞便排泄爲止，需要花24小時。因此，如果停留在體內2天以上，糞便的水分被大腸吸收，就會成爲硬便，很難排泄。

藉著咖啡灌腸法，糞便內大量未消化的食物、腸內細菌的屍體、老廢物及毒素等能夠迅速的被排泄掉，尤其是排泄掉左側的糞便，有助於使腸內乾淨。

放入1ℓ～1.3ℓ的咖啡液，會不會影響到營養的消化、吸收？有的人會擔心這個問題。大腸的長度平均約爲1.5m，即使放入1ℓ～1.5ℓ的咖啡液，也不會到達小腸，所以不會影響食物的消化、吸收。

咖啡灌腸法是針對大腸，主要是將對身體有害的腐敗物、不消化物、毒素等成爲糞便時所進入的橫結腸、降結腸、乙狀結腸、直腸內部加以洗出（洗淨）的方法。

食物通過小腸的時間約爲6～8小時，最慢在10個小時之後，營養被吸

收掉的食物殘渣應該就會到達左側的大腸。到達大腸的糞便，就好像是食物的「廚餘」一樣，而腸內的廚餘一定要盡早排泄掉。

在肛門附近的大腸內，聚集了很多腸內細菌中的害菌，而咖啡能夠有效的去除害菌。從這兩點來看，咖啡灌腸法可說是最佳的大腸掃除法。

1～10 消除「咖啡灌腸法」疑問的Q&A

★立刻回答關於咖啡灌腸法的疑問與不安

Q①：1天要進行幾次咖啡灌腸法？在什麼時間進行比較有效呢？

A①：如果是健康的人，1天進行1次咖啡灌腸法即可。但是糞便排泄不順暢時，1天進行2次也無妨。

如果以治療慢性病爲目的，1天可以進行3～4次，不過因爲需要供給維他命和礦物質，所以一定要遵從醫師的指導。

關於進行的時間，只要方便，在什麼時間進行都可以。但是爲了養成身體和腸的規律，每天都要在決定好的相同時間進行。在飯後1～2小時內進行是最適合的時間。有的人晚上時間比較充裕，那麼就在飯後1～2小時，也就是晚上7～9點這段時間內進行較好。

一旦腸的作用正常化而停止灌腸法之後，在24小時以內就能夠維持正常的排便。

Q②：為什麼第1次進行咖啡灌腸法只能夠放入500mℓ的量？

A②：一開始由於腸的痙攣等現象，咖啡液很難進入。這時不要勉強，慢慢的增加次數及液量，讓身體習慣較好。

此外，咖啡的溫度高於體溫時，容易引起大腸痙攣，液體很難進入，容易從肛門漏出。因此，咖啡的溫度應稍低於體溫，大約爲35度左右較好（手指放入時感覺溫溫的程度即可）。感覺舒服的溫度與量因人而異，最好根據經驗來調節量和溫度。

相反的，便秘嚴重、即使放入1ℓ的咖啡液也無法排便的人，則應該放入溫度稍高於體溫（37～38度左右）的咖啡液比較有效。

Q③：放入咖啡液之後，忍耐多久的時間較好？

A③：咖啡液全都放入之後，不須勉強忍耐，立刻排泄也無妨。

相反的，如果忍耐太久的時間（5～10分鐘以上），則大腸的活動就會停止，腸會吸收咖啡液，結果就無法順暢的排便，反而會覺得不舒服，所以絕對禁止忍耐。在排便時，由右往左依順時鐘方向按摩腹部，就能夠使大腸的活動順暢，更能夠有效的排便。

Q④：每次都要做咖啡很麻煩，能否1次做好大量的咖啡，分數次使用？是否要考慮到氧化的問題呢？

A④：咖啡灌腸法所使用的咖啡，盡量在將咖啡豆研磨成咖啡粉之後立刻使用。食品也一樣，做好之後放一段時間就會氧化，所以要選擇新鮮的咖啡豆。

覺得每次都要做咖啡很麻煩或是旅行時，可以使用咖啡濃度穩定，同時添加了乳酸菌生成萃取劑及天然礦物質的市售咖啡。

Q⑤：沖泡咖啡的水可以使用家裡的自來水嗎？

A⑤：自來水經過消毒之後含有氯，對身體不好。咖啡灌腸法所使用的水，

最好使用通過淨水器的水或礦泉水。

Q⑥：不可以使用方便的即溶咖啡嗎？

A⑥：咖啡灌腸法要攝取咖啡中所含的自然成分，因此就算覺得很花工夫，也必須使用研磨咖啡豆所沖泡的咖啡。即溶咖啡在加工階段失去了自然成分，因此最好選擇自然食品的咖啡豆。

Q⑦：市面上沒有賣咖啡灌腸法使用的液體嗎？

A⑦：進行咖啡灌腸法時，也可以使用方便的市售咖啡液，叫做「SBC咖啡」。這是在具有適度濃度的咖啡中加入天然礦物質的商品，即使驟然排泄，也不用擔心礦物質缺乏的問題。此外，還含有能夠增加腸內益菌、乳酸菌的乳酸菌生成萃取劑。乳酸菌生成萃取劑能夠幫助益菌的繁殖，抑制害菌，不但使得糞便不會有惡臭，而且也具有提升血液品質，使血液流通順暢的效果。

Q⑧：不用擔心習慣性的問題嗎？

A⑧：即使長期使用咖啡灌腸法，腸也不會出現異常現象。

但是習慣咖啡灌腸法之後，排便變得很清爽，因此可能在心理上很難停止使用這個方法。

通常停止灌腸法後1～2天，就能夠維持正常排便。

進行咖啡灌腸法，同時維持正確的飲食生活，攝取足夠的水分，在2～3個月內就能夠改善便秘。在能夠自然排便之後，就要趕快停止這個方法。用內視鏡觀察持續咖啡灌腸法2～3年的人的大腸，並未發現由灌腸法造成的不良影響，腸相則得到顯著的改善。

Q⑨：關於器具的衛生管理，應該注意哪些事項？

A⑨：灌腸法所使用的器具一定要保持清潔，因此用完之後要用熱水沖洗乾淨，充分保持乾燥。1年要更換1次新的器具。

Q⑩：塞入管子擔心會損傷腸。

A⑩：有感覺神經分布的範圍是到直腸與肛門交界處爲止的2cm處。因此，

插管子時只要不覺得痛，就不用擔心會損傷腸。想要順利插入，可以塗抹凡士林或乳液等。

Q⑪：兒童和孕婦也可以使用嗎？

A⑪：10歲以下的兒童和懷孕初期的孕婦，經由醫學判斷需要使用的人才可以使用。事前一定要和專門醫師討論。

Q⑫：大約要持續多久呢？

A⑫：多久之後便秘才會有所改善，因人而異，很難定出明確的標準，大致的標準爲3～6個月。除了咖啡灌腸法之外，只要多攝取含有食物纖維的自然食品以及足夠的水分，就能夠改善便秘。

能夠自己排便時，就要停止咖啡灌腸法。不過，即使一生持續使用咖啡灌腸法，也不用擔心會產生副作用或任何害處。它能夠幫助維持健康。

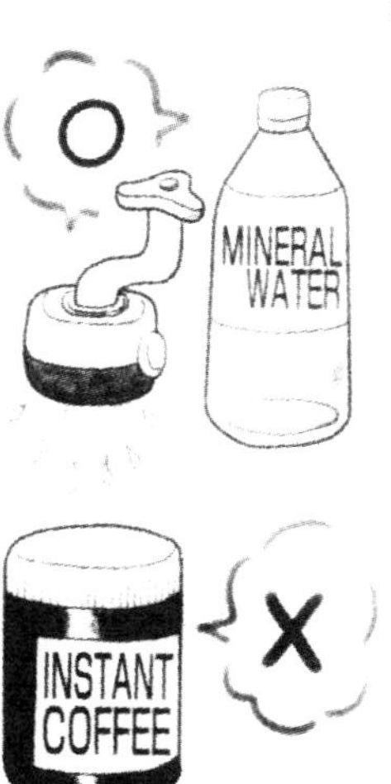

第2章

真有效！治好了！
咖啡灌腸法的體驗者報告

咖啡灌腸法不僅消除了便秘，

也改善了癌症的感人心聲！

2－1

在美國悄悄掀起旋風的咖啡灌腸法！消除了10幾歲以來的嚴重便秘！去除浮腫，並且在1個月內成功的瘦了3kg！

東京都　北野京子（30歲・公司職員）

我從10幾歲開始就1週才排便1次，屬於嚴重的便秘。勉強排便時，只能排出令肛門出血的硬便，因此經常使用便秘藥。習慣之後，使用同樣的量根本無效，必須不斷增加藥量，在精神上也十分依賴便秘藥。

有一天，參加新谷先生的演講會，聽他說「長期使用便秘藥，腸會發黑，而且腸也會失去原有的功能」。當我看到好像蛇皮般發黑、骯髒的腸的影像時，我擔心自己的腸也會變成這個樣子，非常害怕，於是下定決心停止使用便秘藥。

但是一直以來都依賴藥物，不知道如何靠自己的力量排便，因此進行新谷先生所說的咖啡灌腸法。咖啡灌腸法在美國是深獲好評的療法，不僅能夠改善便秘，同時也能夠排出毒素，有效的預防癌症以及生活習慣病。

我的做法是用濾泡式咖啡用的濾紙過濾咖啡，做成1杯份的咖啡，然後加入溫水成爲1ℓ的量。

放入腸洗淨器當中，管子前端插入肛門，使咖啡流入。最初不太習慣，咖啡液無法順利到達大腸內。但是5～6次之後就漸漸習慣，做得很順手。

我每天進行1次咖啡灌腸法，在晚餐後的放鬆時間進行。進行咖啡灌腸法之後，可能是體內多餘的東西排泄掉了，覺得身體變得輕盈，神清氣爽，可以熟睡。早上起床時也覺得心情愉快。

過了2週，原本因爲便秘而凸出的下腹部凹陷進去，臉和腳的浮腫完全去除，全身曲線分明。雖然食物吃起來比以前更好吃，但1個月之後，原本稍胖的體重成功的瘦了3kg。

去除浮腫之後，臉和身體的曲線變得明顯，所以看起來比實際的體重更瘦。

咖啡灌腸法的優點，就是可以自己管理排便。服用便秘藥時，會因爲突如其來的腹痛而感到困擾，無法外出。使用咖啡灌腸法之後，就不必在外出時因爲腹痛而忙著找廁所，精神上也覺得比較舒坦了。

3個月之後，嚴重的便秘完全消除。有一次忙得忘了灌腸，但是第2天仍然產生便意，可以靠著自己的力量排便，而且當時的糞便如香蕉般大，含有適度的水分，排出順暢。

後來每天都能夠自然排便，便秘完全消除。除了咖啡灌腸法之外，也攝取糙米加入雜糧米的食物，而且喝很多水，注意飲食的結果真是太好了。在演講會中，聽說酵素營養輔助食品能夠使腸相更好，也對健康很好，因此也吃糙米發酵食品。

治好便秘之後，心情變得愉快，有時候在週末還是會進行咖啡灌腸法，

藉此身體變得輕盈，狀況很好。

利用咖啡灌腸法治好便秘，當然令人高興，但是對我而言，能夠藉此重新評估自己的身體和飲食生活，是更大的收穫。

2－2

因為生產而形成的痔瘡，藉著咖啡灌腸法而消除，3個月內成功的瘦了5kg。同時，肌膚出現透明感，具有美白效果！

東京都　植田洋子（30歲・自營業）

聽說很多女性因爲生產而得痔瘡，而我正因爲1年前的生產而得了嚴重的痔瘡，有出血和疼痛的煩惱。

甚至有便秘的現象，大約3天排便1次。有便秘時，體重增加了5kg。便秘不僅對肌膚造成影響，臉上的氣色也不好，變成不健康的茶褐色，甚至有過敏性皮膚炎的煩惱。

當時參加新谷先生的演講，知道咖啡灌腸法的好處，於是趕緊嘗試。我是利用市售的咖啡液。這咖啡液含有礦物質、乳酸菌生成萃取劑等，只要加

上熱水，就可以輕鬆的進行灌腸。

一開始我想進行1ℓ的量，但是無法全部放進去，於是分成2次進行。先放入500mℓ，排出之後再放入500～1000mℓ，進行排泄。最初的灌腸使肛門附近的糞便排出，第2次則能夠順利的注入咖啡液，覺得腸各處的污垢都洗淨了似的。

得了便秘之後，很難自然排便，因此能夠得到這種成果，真是感謝咖啡灌腸法。如果不利用灌腸法排出糞便，則糞便會持續好幾天都積存在體內。糞便長期停留在體內，會產生各種毒素，也是造成肌膚乾燥及過敏疾病的原因。

進行咖啡灌腸法大約1週後，原本氣色不好的茶褐色的臉和手的顏色都變白了，肌膚產生透明感。體內毒素排出，血液循環順暢，對肌膚也造成好的影響。

1個月後，下腹部陷凹，體重慢慢的減輕。現在咖啡灌腸法成爲每天晚

上進行的日課。

3個月之後，早上能夠自然的排便，而且是「快便」，十分順暢。已經好幾年不曾有這種順暢排便的感覺，讓我非常高興。能夠自然排便之後，痔瘡也跟著好了，不再發生出血和疼痛的現象。

最讓我高興的是，成功的瘦了5kg，恢復到原先的體重。肌膚變得白皙，皮膚柔軟，感覺煥然一新。手背和臉部等明顯部位的皮膚都變得美麗，朋友甚至還問我：「妳是不是換了化粧品啊？」原本因爲過敏體質而出現的臉部皮膚乾燥和發癢的症狀都自然消失了。

建議有便秘煩惱的朋友使用咖啡灌腸法，結果她也成功的消除了便秘，瘦了2kg，感覺上身體似乎比體重瘦得更多，有緊實感。此外，臉色好看，肌膚出現透明感。

解決了便秘的問題之後，肌膚出現透明感，變得很漂亮，真是太棒了。口碑相傳，效果不斷的擴大，現在很多朋友都實行咖啡灌腸法。

實際進行灌腸法的朋友，全都說：「身體變得很好。」不僅消除了便秘，達到減肥效果，甚至有朋友因爲嚴重的更年期障礙消失而感到欣慰呢！

2－3

1個月內消除因為便秘而造成的痔瘡疼痛，成功的瘦了5kg。宿醉、頭痛、肩膀酸痛等不適症狀完全得到改善。

福島縣　黑田雄（40歲・公司職員）

我年輕時就有便秘症，大概4～5天才會排便。因爲工作，經常交際應酬，1天要喝3大杯的啤酒。雖然晚上會排便，但有時候是接近下痢的狀態，所以排便狀態並不好。

通常排便必須用力10分鐘以上，因此得了痔瘡，而且痛到無法開口說話。如果能夠自然的排便，應該就能夠治好痔瘡，但是我不知道應該如何改變飲食和生活，爲此，感到很煩惱。

這時參加了新谷先生的演講會，得知改善便秘的咖啡灌腸法，於是趕緊

實行。我覺得每一次都要製作咖啡液很麻煩，因此使用市售的咖啡液。全都是濃度均衡的咖啡液，同時裡面還含有能夠增加腸內益菌的乳酸菌生成萃取劑。用溫水稀釋4倍就能夠使用，非常方便。

1天進行1次咖啡灌腸法，我是在時間充裕的晚上進行。泡澡前在浴室裡進行灌腸法之後立刻泡澡，保持清潔狀態。對於最初是否能夠放入1ℓ的咖啡液感到半信半疑，但是實際進行之後，竟然可以放入1・3ℓ的液體，讓我感到很驚訝。而且在液體注入完畢之後，不到2、3分鐘的時間就排便了。

注入1公升的咖啡液之後，坐在馬桶上，大概在2、3分鐘之後，糞便就摻雜著咖啡液慢慢的排出了。

咖啡灌腸法能夠去除腸內多餘的東西，感覺十分爽快，因此每天都會進行。

我的身高170cm，體重75kg，比較重。在1週內成功的瘦了3kg的體

重，使得原本凸出的下腹部陷凹，連皮帶孔都縮小了一格，而且放的屁也不再有臭味了。後來持續使用這個方法，結果身體的倦怠感消失，覺得很輕鬆，早上清醒時神清氣爽。

肝功能也變得順暢，喝完酒後的第2天，不再有宿醉的症狀。此外，臉色變好，周圍的人都說：「你看起來比以前更年輕了。」

一個月之後，痔瘡的疼痛完全改善，排尿量增加，體重成功的減輕了5kg。

以前浮腫的情形相當嚴重，有時早上穿鞋子時會覺得太緊，穿不進去。但是現在這種現象已經消失了。以前因爲肥胖的緣故，血液循環不好，有時候會有嚴重的偏頭痛、肩膀酸痛的煩惱，但是現在症狀已經完全消除了。

實行咖啡灌腸法半個月，便秘情形完全改善。現在每天都能夠規律正常的排便，身體狀況很好，實際感覺到排便是健康的基本。

治好便秘之後雖然很健康，但是有時候還是會進行咖啡灌腸法。父親因

爲肝癌而去世，我想也許我們家是容易得癌症的家族。聽說咖啡灌腸法能夠防癌，所以今後想把它當成健康法持續進行。

2－4

以每天的咖啡灌腸法和蔬菜為主體，利用自然食，2年內完全治好了危及生命的膠原病，而且生下了第3個孩子

東京都　田中英子（36歲．心理醫師）

7年前罹患膠原病，必須住院。2年前身體變差，可是孩子還小，不能夠去醫院，只好放任不管。

事實上，我的母親也因爲膠原病而在50歲時去世。但是我的孩子還小，我絕對要活下來。看到母親因爲藥物副作用而痛苦的情景，我決定找出不同的治療法。

當時我在美國學習精神醫學，朋友介紹我用獨特的自然療法治療難治之症的美國醫師。這位醫師的治療法是以食物療法爲主體。

簡單的說明一下其內容。即飲食以自然食爲主，而錠劑則是補充維他命、礦物質或酵素，因此我認爲均衡的攝取蔬菜和肉是最好的。1週吃2次雞肉，另外也攝取魚類，而爲了補充酵素，也會攝取糙米發酵食品，而且吃很多新鮮蔬菜。

一開始的時候，對這種治療法感到不安，而且也沒有什麼進展，因此想要找尋其他的方法。這種食物療法十分嚴格，很難完全執行。可是如果確實實行這個方法，據說有7成癌症等難治之病的患者都獲得改善。

除了飲食之外，還要實踐咖啡灌腸法。

我實行咖啡灌腸法的理由有2個。第1是體內積存的毒物能夠成爲糞便排泄出來，第2是咖啡的成分咖啡因進入肝臟後，能夠去除血液中不好的東西。

我因爲罹患重病，所以每天在上午和下午共進行2次咖啡灌腸法。

上午是早上起床後立刻進行。準備的咖啡液量爲1ℓ，將利用二小匙的咖啡豆沖出的咖啡稀釋成1ℓ。但是一次不能放入1ℓ的量，只能夠一次以1／4的量分4次慢慢的放入。

下午也按照同樣的要領進行。這時準備的是500mℓ的量。我一天進行二次咖啡灌腸法。普通人如果要進行健康管理，那麼1天只要進行1次、1ℓ的量就夠了。

有一陣子膠原病的症狀相當嚴重，甚至醫師說「很危險」。但是食物療法和咖啡灌腸法奏效。2年之後，可以靠著自己的力量在家中生活。

後來身體慢慢復原到能夠過正常的生活。1995年，完全治好了膠原病，最近更平安無事的生下第3個孩子。有一陣子搬到東京去住之後，使用的是市售的咖啡灌腸法用的液體。

持續進行食物療法和咖啡灌腸法，咖啡灌腸法1天進行2次。

在美國學習精神醫學的經驗，使我現在得以從事精神醫師的職業。身爲人妻、人母，同時又是心理醫師，生活十分忙碌，可是卻過著充實的每一天。

2－5

利用咖啡灌腸法改善了便秘和更年期障礙。母親大腸癌的疼痛消失，肝功能恢復正常，直到臨終時都在家裡度過。

長野縣　西村悅子（53歲・主婦）

丈夫擔任醫師，而且在美國學習了格爾森療法，因此常常建議癌症患者使用這種癌症的代替療法。

因爲丈夫的建議，我在6年前開始實行咖啡灌腸法。當時我78歲的母親罹患直腸癌，並且轉移到肝臟，已經是第4期的末期階段。大腸癌不能動手術，而且動手術只能夠預防腸閉塞而已，同時她也很害怕安裝人工肛門，因此不願意動手術，於是由我在家裡照顧她。

「要提高母親肝臟的解毒作用，就必須要實行咖啡灌腸法。」丈夫對我

這麼說，於是我先嘗試。一開始我真的很討厭這個方法。以前我曾在醫院接受灌腸，不僅很痛，而且發冷冒汗，甚至出現貧血的現象，從此以後就對於灌腸法就有了排斥感。

但是體驗咖啡灌腸法時，覺得很舒服。當時有便秘傾向，大約2天都不會排便。然而進行咖啡灌腸法之後，覺得身體十分清爽，心情很好，真想1天做好幾次。藉著咖啡灌腸法之賜，在幾個月之內，便秘的情況改善了。

進行的時間是每天早上10點。結束打掃等工作之後，在悠閒的心情下進行。每次使用量爲500mℓ。事先作好咖啡濃縮液，放在冰箱裡，等到要使用時用溫水稀釋即可，非常方便。但是因爲擔心氧化的問題，所以通常會在2天之內用完。

當時正值更年期障礙，有肩膀酸痛、血氣上衝、發汗、憂鬱感等煩惱。但是在實行咖啡灌腸法之後，心情變得輕鬆，這些症狀也全都減輕了。

自己嘗試之後，覺得效果很好，因此也讓母親每天早晚進行2次。母親

也覺得很舒服，完全不排斥這個方法。不可思議的是，進行咖啡灌腸法之後，母親的直腸癌並沒有變大。可能是因爲具有抑制疼痛的效果，所以不需要再服用止痛藥了。

因爲癌細胞轉移到肝臟，因此母親的腹部曾經積存腹水，有如快要臨盆的孕婦似的肚子發脹，醫師甚至說：「有破裂的危險。」通常，在這種狀態下，肝功能數值會不斷的下降，但是母親的肝功能數值卻一直保持正常的狀態。可能是因爲進行咖啡灌腸法而產生解毒效果的緣故吧！直到母親去世的3年前，都持續使用咖啡灌腸法。

在去世之前的1週內，肛門力量減弱，不能注入液體，因此無法進行咖啡灌腸法。但是減輕了癌症的疼痛，直到臨終之前，我都能夠在家中照顧她，這一切都是咖啡灌腸法之賜。

我也建議周圍的人使用咖啡灌腸法，而實行的人都說身體狀況變好了。85歲的嬸嬸因爲痔瘡而痛到無法坐下來，後來也是藉著咖啡灌腸法減輕了疼痛。

2－6

利用咖啡灌腸法改善了長年的便秘，消除了煩惱的生理痛，擁有透明感的美麗肌膚

埼玉縣　岡球子（26歲・主婦）

去年11月開始進行咖啡灌腸法。以前我就有嚴重的便秘症，對於健康造成嚴重的不良影響。

最初參加新谷先生的演講會，聽到「用咖啡洗淨大腸」，當時產生一種排斥感。但是進行第1次之後，覺得頭腦清爽，十分舒服。第4天排出了灰色的糞便，我覺得這是積存在腸內的污垢，實際感覺到這樣子就能夠淨腸。

我是使用市售的咖啡液。將咖啡液加入滾水當中，然後用礦泉水稀釋成稍低於人體體溫的溫度。稀釋成四倍，製作成1000～1200mℓ的液

體。

我是在晚上進行咖啡灌腸法。三個月後的某天早上，發生令人驚訝的事，我可以順暢的排出大量糞便。這是因爲實行了新谷式飲食法，同時藉著增加益菌乳酸菌、使排便順暢的乳酸菌生成萃取劑之賜，才能夠辦到。

進行咖啡灌腸法之後，腸內的污濁全都排出，腹部陷凹。泡完澡之後直到躺到床上睡覺時，身體都十分的溫暖。進行咖啡灌腸法之後，瘦了2kg。後來產生食慾，覺得食物比以前更好吃，可是體重仍然維持正常。體型變得苗條，以前穿起來比較緊的洋裝，現在都可以輕鬆的穿上了。

我的生理週期是20天，間隔相當的短，出血量也很少。後來週期漸漸的恢復正常，變成25天，而且維持普通的出血量。在美容方面也出現好的效果，肌膚出現透明感，全身光滑，丈夫也對我說：「妳的肌膚變得好漂亮啊！」

第3章

「體內酵素」決定壽命！利用新谷式飲食法增加體內的酵素

增加體內酵素的飲食能夠影響壽命

～～介紹具體的做法～～

3～1 「體內酵素」是決定壽命的關鍵

★過著不會減少生命能量的酵素之生活是最重要的

「體內酵素」在日本掀起話題，而在美國已經了解其存在是掌握健康的關鍵，備受重視。酵素的英語稱爲 enzyme。

簡單的說，酵素就是掌管各種生命活動的「生命力」，也可以把它當成「生命能量」。有生命的地方就有酵素，不論動物、植物，都是以酵素爲基礎而產生生命力或能量。植物從種子冒出芽，然後結果、葉子變紅等一連串的生命活動，酵素都發揮了重要的作用。

對我們的身體而言也是如此。在人體內的酵素，其功能如下。

①維持生物體恆常性（體溫、血壓和神經等與意念無關，能夠經常維持穩定的作用），保持免疫力和自然治癒力的正常。

②促進細胞的修復及再生，調節神經及荷爾蒙系統的平衡。

③消化食物。

④對於由體外進入或在體內所形成的毒物進行解毒作用。

雖然具有這麼重要的作用，可是以往在醫學及營養學的範疇，並不重視酵素的作用。這是因爲無法對酵素進行分析與合成，使得研究進行遲緩的緣故。

不論是誰，在出生時體內就都具有足夠的酵素，幼兒體內的酵素量是老人的100倍。但是體內所具備的酵素量是由遺傳來決定的，所以其量天生就不同。此外，一生能夠製造出來的量也有一定的限度。各人所具有的一定量的酵素，稱爲「潛在酵素」。

酵素包括2種。

①在體內製造出來的酵素。

②利用食物從體外攝取的酵素。

由其差距及功能又可以分爲4類。

①潛在酵素（個人天生具有的一定量的酵素）

②消化酵素（食物在消化過程當中，利用酵素分解之後被血液吸收。負責這一連串過程的酵素）

③代謝酵素（吸收的營養素送達內臟等組織，幫助其功能順暢運作，或是對於體內所形成及進入體內的化學物質如毒素進行解毒的酵素）

④食物酵素（植物或動物等食物中所含的酵素）

消化酵素與代謝酵素，都是以潛在酵素爲基礎而製造出來的，如果單方面使用了太多的酵素，則另一方面的功能就會消失，結果就會出現缺乏或消耗過多的情況，成爲引起癌症或生活習慣病的原因。此外，「體內酵素缺乏時，就是壽命終結時」的想法，讓我們了解到，維持不讓酵素減少的生活習慣及飲食法，才是保持健康及長壽的秘訣。

體內酵素數目達到3000種以上 與身體的各種生命活動都有關

1. 潛在酵素（個人天生具有的一定量的酵素）
2. 消化酵素（食物在消化的過程當中，利用酵素分解之後由血液吸收。負責這一連串過程的酵素）
3. 代謝酵素（吸收的營養素送到內臟等組織，幫助其功能順暢運作，同時對身體內外的毒素進行解毒的酵素）
4. 食物酵素（植物或動物等食物中所含的酵素）

維他命、礦物質等輔酶，是使酵素順暢發揮作用所需要的物質

體內酵素的重要性

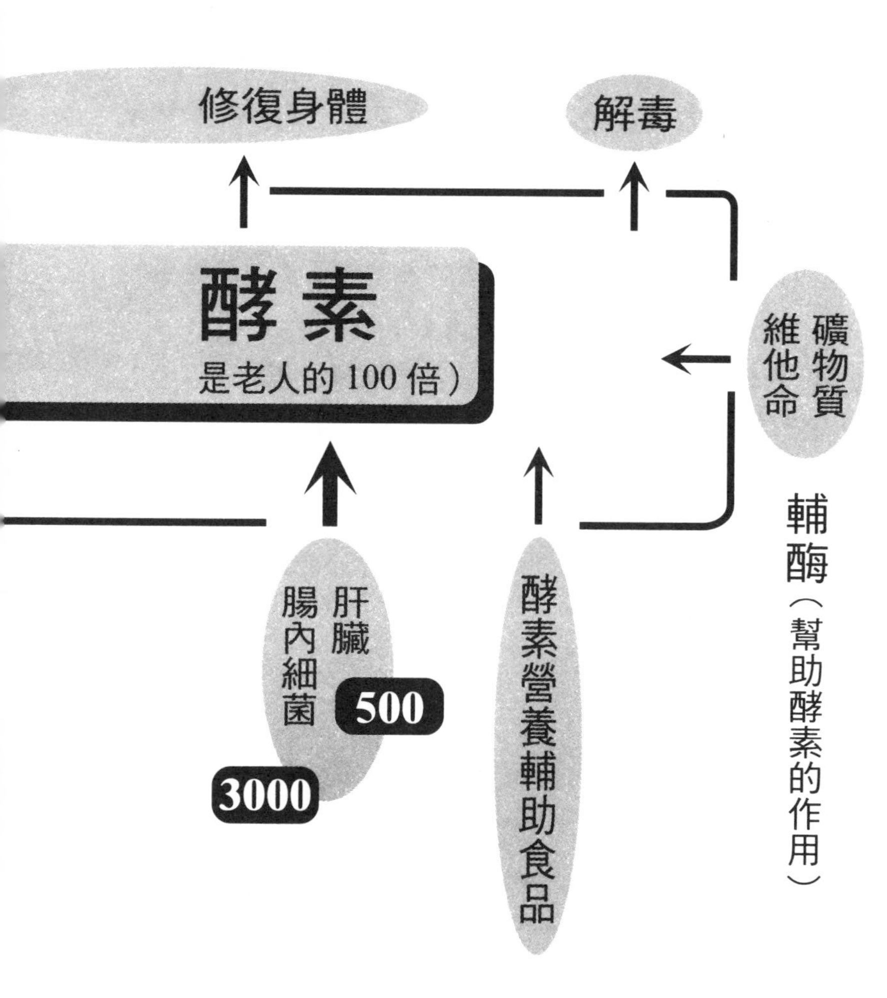

修復身體
解毒
酵素
是老人的 100 倍）
礦物質
維他命
輔酶
（幫助酵素的作用）
肝臟
腸內細菌
500
3000
酵素營養輔助食品

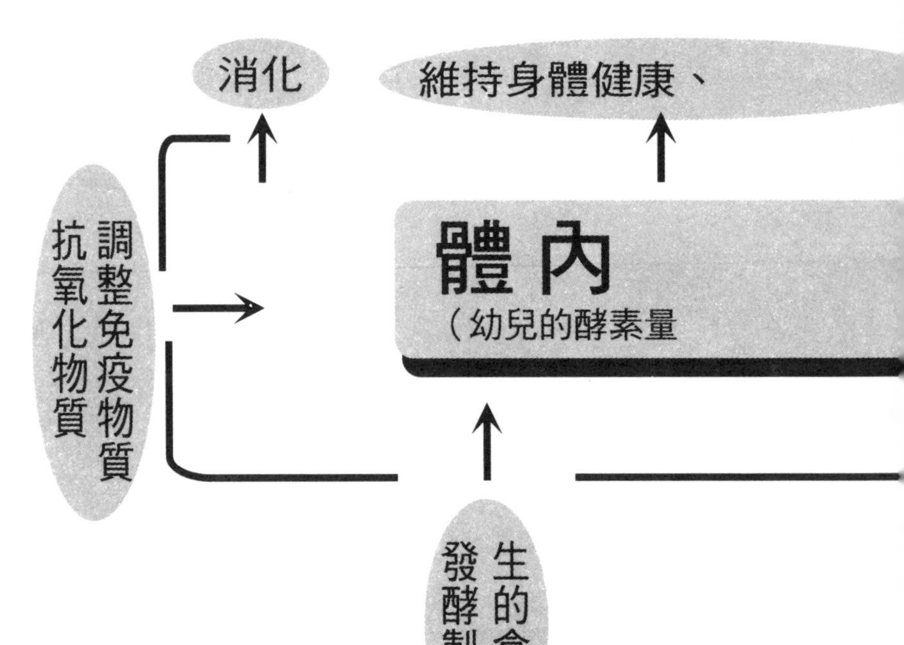

此圖表示體內酵素的消耗與補給的關係。藉此可以一目瞭然，明白體內酵素被利用在哪些地方，以及利用何者來加以補充較好。

3～2

幫助體內酵素作用的維他命與礦物質

★幫助體內酵素作用的維他命與礦物質容易缺乏

我們是否能維持健康或長壽的關鍵，就在於是否能夠充分保存體內酵素。

反過來說，體內酵素較少或缺乏時，就會加速老化或容易罹患疾病。此外，也可能會早死。「體內酵素消失，維持身體的恆常系統或免疫力、自然治癒力減弱，無法發揮功能時，就是壽命結束的時候。」，這種說法絕不誇張。

酵素是一種高分子蛋白質。在體內具有將一種物質轉換爲其他物質的觸媒作用。現在我們體內到底有多少酵素會發揮作用，尚不得而知，不過據說其數目達到３０００種以上。

例如，要使體內的最大臟器肝臟發揮作用，則需要500種以上的酵素。要使我們體內的酵素充分發揮作用，就需要維他命和礦物命。相反的，如果酵素不夠，就無法利用維他命、礦物質及其他營養素。兩者具有互相輔助的關係，因此維他命、礦物質總稱爲「輔酶」。

我們身體要保持在最健康狀態，則需要91種營養素。內容包括：

①60種礦物質
②16種維他命
③12種氨基酸
④三種必須脂肪酸

但是因爲環境污染、食品添加物、土壤的營養不良等因素，使得我們的身體無法順暢的將必要的營養素吸收到體內。這也可以說是製造出高血壓、糖尿病、癌症等許多生活習慣病原因的「活性氧」的解毒酵素無法充分發揮

作用的狀態。像菸、酒、添加物、藥品等可以自我管理的東西，盡量不要攝取。此外，像活性氧等可能在體內發生或自體外進入的自己無法控制的物質，若要加以解毒，就必須在體內貯存足夠的酵素。

體內酵素缺乏的一大原因，就是攝食過多的加工食品。我們的主食白米、白麵包、白烏龍麵或白砂糖等，食品中原本具有的維他命、礦物質及酵素類，會因爲精白化而喪失。

再加上食品添加物及農藥的使用、環境荷爾蒙的增加等原因，不光是營養價值降低，體內也進入大量有害的化學物質。此外，動物性蛋白質或脂肪過多的飲食，也會使腸內產生大量的毒素。

這些都會消耗掉體內的酵素，同時也會引起腸相的惡化以及腸內細菌的異常狀態。結果，腸內細菌抑制酵素的產生，使得體內酵素減少，造成惡性循環。

要擁有最佳狀態的健康身體 需要 91 種必要的營養素

礦物質	60 種
維他命	16 種
氨基酸	12 種
必須脂肪酸	3 種

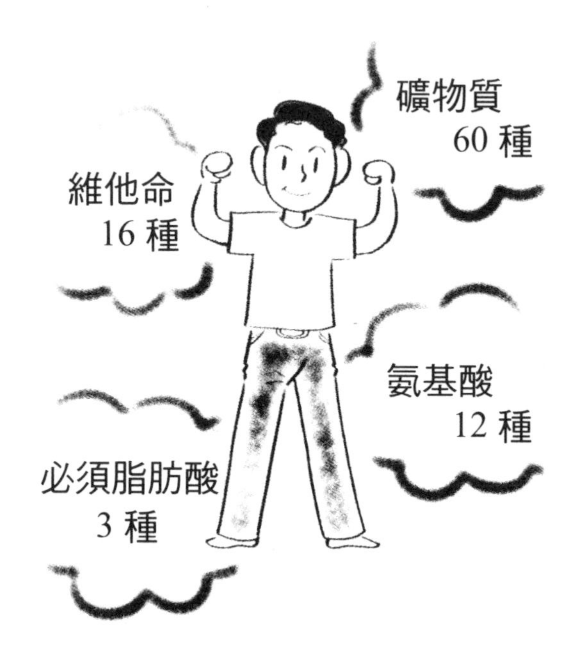

3～3 停止消耗體內酵素的方法

★必須少吃，並且避免茶、咖啡、菸、酒、藥等化學物質

人類體內所具有的體內酵素，主要具有以下3種作用。

①消化

②解毒

③維持健康及修復身體不良的部分

曾經流行過一陣的斷食療法，據說能夠改善癌症等難治的疾病。其理由是暫時杜絕食物，使內臟功能活化。而如果從體內酵素的觀點來看，也能夠充分說明這一點。斷絕食物時，消化所需的體內酵素可以用來修補身體不良的部分，也就是修復疾病，如此一來就能夠改善或治癒疾病。

由此可知，應該盡量避免消耗身體所具有的體內酵素，使得酵素能夠持

久耐用，這才是長壽的秘訣。

減少消耗體內酵素的方法，就是減輕消化及解毒方面所使用的酵素。因此必須做到下列幾點。

①盡量避免菸、酒、咖啡、茶類（農藥較多的茶）、藥物等（取而代之的是1天要喝水1500～2000ml）。

②消除壓力（壓力會產生大量的活性氧）。

③避免食品添加物、人工色素、農藥。

④避免環境污染、強烈的紫外線、X光等（會產生大量活性氧，消耗掉體內酵素）。

⑤患部會發生活性氧，因此不要罹患慢性發炎症狀（牙周炎或大腸炎等）。一旦罹患這些疾病，就要盡早治癒。

⑥不要攝取太多精白食品和加工食品（因爲缺乏輔酶、維他命及礦物質，所以無法充分提升酵素的作用）。

⑦不要攝取高蛋白、高脂肪、油類較多的料理及加工品（過氧化脂質會成爲活性氧發生的原因）。

⑧吃8分飽。不要吃太多。晚上不要太晚吃飯（最晚要在睡前五小時內結束飲食，避免消耗大量的消化酵素）。

⑨充分咀嚼，使食物容易消化。1口至少要咀嚼30～50次。只要充分消化，則只要吃較少的食物就會有滿腹感，可以節省酵素。

⑩食物在24小時內排泄掉（避免在腸內形成大量的毒素或老廢物。如果有大量的毒素，則光是爲了解毒，就會消耗掉大量的酵素）。

要保持體內酵素，尤以第⑩項的排泄最爲重要。到達大腸的排泄物，會成爲細菌屍體或未被消化的食物的廚餘，經過一段時間就會在腸內腐敗，產生毒素。要將毒素解毒，則需要消耗掉體內大量的酵素。因此，利用咖啡灌腸法在24小時以內將體內不需要的糞便排泄掉非常重要。

減少體內酵素的消耗
使酵素持久耐用的10大秘訣

1. 避免菸、酒、咖啡、農藥較多的茶、藥品等，多攝取好水，1天的量為1500～2000mℓ。
2. 避免壓力。
3. 避免食品添加物、人工色素、含有農藥的食物或飲料。
4. 避免環境污染、紫外線或X光等。
5. 不要罹患慢性發炎症狀。
6. 不要攝取太多的精白食品或加工食品。
7. 避免高蛋白、高脂肪、油膩的料理。
8. 吃八分飽。不要吃太多。在睡前5小時以內要結束晚餐。
9. 食物要充分咀嚼，1口至少要咀嚼30～50次。
10. 食物要在24小時以內排泄掉。可以進行咖啡灌腸法（淨腸）。

3～4、補充失去的體內酵素

★最好攝取未經加熱調理的新鮮食品、發酵食品

隨著年齡的增長，每個人的體內酵素都會減少。即使藉著食品，也只能夠補充到某種程度。要減少體內酵素的消耗，就必須注意以下幾點。

①盡量避免攝取化學物質（菸、酒、添加物、人工色素、保存劑、抗生素等藥物）。

②減少在腸內形成的毒物和老廢物。

1.不吃高蛋白食，尤其要減少動物食（不消化的蛋白在腸內會製造很多毒素）。

2.藉著咖啡灌腸法使腸內環境乾淨，減少或抑制毒素的發生。藉此可以減少用來解毒的酵素量。

此外，補充酵素的方法如下。

①經常吃生的食品（蔬菜、水果、魚貝類）。

②攝取納豆、米糠漬菜、味噌等發酵食品（酵母中含有很多酵素）。

③攝取未精製的穀物（糙米、五穀雜糧類），取得腸內細菌平衡，增加酵素的產生。

④補充維他命和礦物質。攝取能夠補充消化酵素的營養輔助食品，以及糙米發酵食品、啤酒酵母、葡糖胺還原酵素等。

⑤攝取乳酸菌生成萃取劑。乳酸菌生成萃取劑能夠增加腸內乳酸菌，抑制害菌，結果就能夠增加腸內酵素，有助於補充體內酵素。

生的食品含有能夠自我分解、在體內消化、還原於土壤的酵素。但是酵素不耐熱，在48～188度的熱度中調理時就會失去作用。如果要攝取酵素，則盡量吃生的食品較理想。

在日本，納豆、米糠漬菜、味噌等良好的發酵食品很多。這些發酵食品

的酵母中含有豐富的酵素。

但是用味噌做味噌湯的時候，如果溶於剛煮沸的滾水中，則因爲溫度太高，會使得酵素死亡，所以要等到滾水的溫度下降到可以用手指放進去的溫度，再將味噌放入調溶，這樣就不會失去酵素。

牛奶也是一樣的，低溫殺菌（約60度）的牛奶比較好。經過高溫殺菌（135度）的牛奶，酵素已經完全喪失。

白米、白麵包、白烏龍麵或白砂糖等食物，經過精白處理之後會失去食物原本具有的維他命、礦物質、酵素類等。因此，盡量攝取未精白食物，才能夠攝取到酵素。

此外，必須大量的攝取能夠使酵素順暢作用的「輔酶」，亦即維他命、礦物質。配合各人的喜好，也可以使用維他命劑或營養輔助食品。市面上有不少糙米發酵食品、葡糖胺還原酵素、啤酒酵母等花了許多工夫製造出來，讓大家能夠順暢攝取到酵素的營養輔助食品，可以配合體質來攝取。

補充逐漸減少的體內酵素

1. 盡量吃新鮮的食品（蔬菜、水果、魚貝類）
2. 攝取納豆、米糠醃漬菜、味噌等發酵食品
3. 攝取未精製的穀物（糙米、五穀雜糧類）
4. 補充維他命或礦物質，充分攝取能夠補充消化酵素的營養輔助食品（糙米發酵食品、葡糖胺還原酵素、啤酒酵母等）
5. 攝取能夠增加腸內益菌、有助於補充體內酵素的乳酸菌生成萃取劑

3～5

培養好的腸內益菌才是長壽的秘訣

★腸內細菌能夠製造酵母、維他命及荷爾蒙，創造免疫力

根據以往我用內視鏡檢查許多患者的經驗，發現使「胃相」、「腸相」良好的飲食，才是正確的飲食法。我確認它能夠防止癌症等生活習慣病。此外，在消化、吸收食品的胃腸內的腸內細菌，對我們的健康及長壽也有重大影響。

要維持健康，必須要形成好的腸相，同時也要培養好的「腸內細菌」。即使已經罹患生活習慣病等疾病，但是只要能夠培養好的腸相和腸內細菌，就能夠充分的改善疾病。

所以必須要了解關於腸內細菌的知識。

人類在距今300～400萬年前，就已經脫離黑猩猩的範圍，逐漸進

化爲現在的樣子。在這悠久的歷史當中，腸內細菌棲息在人類的消化管內，在腸中得到營養的補給，對人類的健康發揮了各種作用。

腸內細菌的作用如下。

①排除病原菌、化學物質或致癌物質。
②與消化、吸收及身體的代謝作用有關。
③製造維他命及荷爾蒙。
④活化免疫功能，提高自然治癒力。
⑤製造許多酵素（約3000種）。

由此可知，腸內細菌對於人類的健康而言十分重要，與我們的身體互相依賴，保持生死與共的關係。

低等動物本身所擁有的腸內細菌，具有肝臟、腎臟、胰臟等臟器的作用。人類的腸內細菌雖然不具有這些如臟器般的作用，但是卻會對身體發揮

十分重要的作用，因此腸內細菌叢有「第3臟器」之稱。

在整個消化管內（從口到食道、胃、小腸、大腸、直腸、肛門爲止），這些細菌叢的數目大約有100～120兆個，其種類則有300～400種，重量達1～1.5公斤。

有「第3臟器」之稱的
腸內細菌的重要作用

1. 排除病原菌、化學物質或致癌物質
2. 與消化、吸收及身體的代謝作用有關
3. 製造維他命及荷爾蒙
4. 活化免疫功能，提高自然治癒力
5. 製造出身體所需要的3000種酵素

3〜6 正常的人嚴禁使用強烈抑制胃酸的胃藥

★利用胃酸原有的作用才是健康長壽的第一步

我們的生活環境中有很多的細菌。透過食物或飲水等，有上千億的細菌從口進入消化管內。

所以我們的皮膚、鼻、口中也有無數的細菌。在我們的身體健康時，棲息在體內的細菌對人體無害。但是一旦身體的免疫力或抵抗力減弱時，菌類就會異常繁殖，甚至引起感染，形成病原菌（稱爲觀望感染）。

胃酸在正常狀態下爲pH值1．5～3的強酸，具有殺死任何病原菌的力量。

胃酸的主要作用如下。

①殺死經口進入的細菌。

②活化消化酵素。
③促進維他命、礦物質的吸收。
④使腸內細菌維持平衡。

很多人稍微感覺胃灼熱或胃不消化時，就會立刻服用胃藥。胃藥大多是制酸劑，具有抑制胃酸的作用。胃藥會使我們身體原本具有的強大防禦力喪失。

太晚吃晚餐或是在很晚的時候進食，到了睡覺時，食物還停留在胃中。這時食物無法與胃酸充分混合，強酸無法充分發揮作用，結果使得胃內經常存在著各種雜菌和幽門桿菌，於是就會引起慢性胃炎，形成不好的胃相。

此外，如果太晚吃東西，則胃內的食物容易發酵、腐敗，使得腸內細菌失去平衡，結果就會促進害菌的繁殖，在腸內產生毒素，抑制食物的消化、吸收，造成免疫力減退，成為疾病或老化的原因。

很晚才吃東西的人，經常會有腹痛、噁心、下痢等胃腸症狀的經驗。這是因爲在胃腸內產生的老廢物或毒素被胃腸拒絕而引起的。這時不要服用抑制胃酸的藥物或停止下痢的藥物，只要喝水，同時絕食半天到1天的時間，就能夠自然復原。

要充分發揮胃酸原有的作用，則必須注意下列幾點。

①3餐要定時。每1口要充分咀嚼30～50次。

②晚餐後4～5小時不要吃喝。

因應工作的需要，有的人很晚才吃晚餐。這些人可以花點工夫，在稍早的時間吃一點點心，或是不吃晚餐，多吃一點早餐。充分咀嚼，保持正常規律的飲食時間，這是飲食生活的基本。藉著這樣的習慣，可以使胃腸相良好，保持腸內細菌的平衡，這才是得到「健康」與長壽的最佳方法。

胃酸的良好作用

1. 殺死經口進入的細菌。
2. 活化消化酵素。
3. 充分吸收維他命及礦物質。
4. 使腸內細菌保持平衡，提高免疫力及自然治癒力。

充分發揮胃酸原有作用的秘訣

1. 3 餐定時。每吃一口都要充分咀嚼 30～50 次。
2. 晚餐後 4～5 小時不要吃喝。
3. 在醫師指導之下，只有為了治療潰瘍，才可以服用制酸劑或抗酸藥。

因為健康效果而備受注目的新乳酸菌

★提高免疫力，尤其是殺死癌細胞的力量強大

剛出生的新生兒其腸內幾乎是無菌狀態，在出生後4～5天內，才形成穩定的菌叢，保持一定的平衡。

當然，腸內細菌的平衡因人而異，但是個人自身的平衡，從新生兒到成年爲止，在健康時幾乎都是不變的。但是服用抗生素或引起食物中毒時，腸內細菌叢就會失去平衡，引起下痢或便秘。

老化和腸內細菌叢有密切的關係。腸內細菌叢之一的「雙歧乳桿菌」的比例會隨著老化而減少。到底是因爲老化而使得腸內細菌叢老化，還是因爲腸內細菌叢的平衡變化而引起老化，目前尚不得而知。腸內細菌的功能多樣化，而且很複雜，目前只了解其中的一部分而已。

腸內細菌當中，對健康而言具有重要作用的就是乳酸菌。一般而言，乳酸菌是指對於乳或其他物質會發揮作用的製造乳酸的菌的總稱。這個菌的種類很多，功能也各有不同。

經常棲息在腸內的乳酸菌，有圓型和棒型2種。

①腸球菌與鏈球菌等球菌（圓型）

②雙歧桿菌與乳桿菌等桿菌（棒狀）

近年來，因爲乳酸菌能夠預防及抑制癌症，而且可以防止各種感染症，提高抵抗力，因此備受注目。雙歧乳桿菌是能夠棲息在優酪中的乳酸菌，具有提高健康效果的作用，因此備受注目。

距今7～8年前，各研究機構注意到腸球菌（乳酸球菌）的健康效果。腸球菌分爲八種，是在小腸下部及結腸上部（盲腸、升結腸）的腸內大量棲息的一種乳酸菌。

腸球菌具有強大的提高免疫力的力量，其內容包括下列幾項。

①提高免疫力，尤其白血球殺死癌細胞的力量（「TNF」）相當高。

②加熱之後成爲死菌的Enterococcus faecalis菌，其TNF的生產量大約增加3倍。

③改善皮膚病。

④強化對付感染症的抵抗力。

⑤經由動物實驗證明，能夠抑制癌細胞的增殖，和抗癌劑一併使用時，能夠使癌細胞縮小。此外，也能夠強化對付病毒感染的抵抗力。

此外，對於改善高血脂症也有效。因爲死菌比生菌的效果更高，所以認爲可能是在菌的細胞膜、細胞壁等菌體成分中含量較多的多糖類發揮了主要的作用。乳酸菌的分泌物或糖鏈能夠增進乳酸菌的增加，改善腸內環境。要增加對身體有幫助的乳酸菌，則攝取乳酸菌生成萃取劑也是一個好方法。

何謂乳酸菌生成萃取劑

16種乳酸菌藉著植物性蛋白質繁殖、成熟之後，取出優良成分，製成萃取劑（分泌物），即稱為乳酸菌生成萃取劑。它並不是乳酸菌，而是乳酸菌製造出來的東西，具有增加乳酸菌的作用。

攝取乳酸菌生成萃取劑的效果

1. 去除糞便或屁的惡臭
2. 使乳酸菌增殖
   ①旺盛的產生體內酵素
   ②提高解毒作用，改善疾病或身體狀況
   ③活化腸管的免疫力
3. 有助於預防及改善生活習慣病，對於糖尿病、過敏或癌症等也有幫助

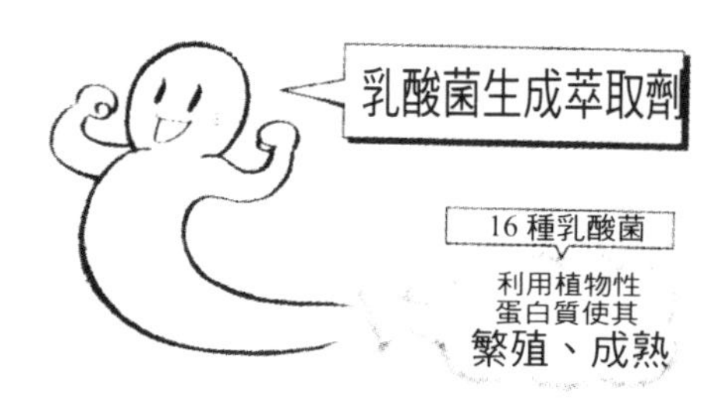

3～8 對健康有幫助的乳酸菌在腸內相當活躍

★幫助維他命或荷爾蒙的合成，強化全身免疫力

腸內細菌不僅與腸有關係，也和全身的免疫構造有關聯。

腸內細菌當中特別重要的乳酸菌其作用如下。

①維持腸內細菌叢的平衡及正常化

當病原菌侵入腸內時，能夠保護身體免於腸的感染或食物中毒

②幫助腸內食物的消化、吸收、代謝，並加以控制，保持身體健康

乳酸菌特別會促進糖分的代謝、吸收，製造出乳糖或醋酸。菌本身在腸內使用糖分、吸收糖分，就能夠抑制糖分在體內被消化、吸收。此外，也有助於吸收礦物質及排出多餘的礦物質。

③確保腸內酸鹼值維持穩定

由乳酸製造出的醋酸等酸，能夠保持腸內酸鹼度的穩定，抑制腸內腐敗，防止便秘或下痢，抑制有害物質及病原菌增加。

④促進維他命或荷爾蒙的合成

能提高維他命B_1、B_2、B_6、B_{12}、K、菸鹼酸、生物素、葉酸等維他命類，以及腎上腺皮質荷爾蒙、性荷爾蒙等的荷爾蒙功能。

⑤活化免疫系統

活化與貪食細胞（巨噬細胞）及NK細胞（自然殺手細胞）等免疫系統有關的白血球，保護身體免於疾病的傷害。

此外，也有助於提高製造干擾素的能力。干擾素是由體內細胞自行製造出來的。在病毒侵入而細胞受到刺激時，干擾素會立刻對整個體細胞發揮作用，抑制病毒的增殖。

對於因爲病毒所造成的任何疾病，可以發揮效果。所以治療B型肝炎時，也會使用干擾素。

原本我們的身體就具有保護自身免於外敵傷害的作用，稱爲「免疫」。這個作用包括①防止異物侵入體內，②使得在體內發生的異常變化恢復正常，③排出異物。

干擾素能夠活化貪食細胞及淋巴球，具有提高身體防禦機能的重要作用。

當腸內有很多異物進入時，腸內的免疫作用會將必要的物質當成營養物來吸收，而對於不需要的物質和有害物質則會加以排除。這是藉著腸黏膜內活化的淋巴球中的T淋巴球與B淋巴球的作用造成的。T淋巴球會對不需要的異物發揮免疫作用，但是對於必要的物質卻不會發揮作用。

B淋巴球接到T淋巴球排除異物的指示時，就會製造出抗體，在腸黏膜外阻止有害物質侵入。此外，T淋巴球也具有避免癌細胞或息肉等不正常細胞增加的作用。

腸內細菌中相當活躍的乳酸菌的作用

1. 維持腸內細菌叢的平衡，使其正常化。一旦病原菌侵入體內，能夠保護身體免於腸內感染或食物中毒。
2. 幫助腸內食物的消化、吸收、代謝，並加以控制，保持身體健康。
3. 保持腸內酸鹼值的穩定。
4. 促進腸內維他命或荷爾蒙的合成。
5. 活化免疫系統，提高製造干擾素的作用，同時避免癌細胞或息肉等細胞增加。

3～9 腸內細菌與體內酵素的生成有密切的關係

★形成好的腸內環境，就能夠使體內酵素的功能活化

乳酸菌的作用還有很多。

①防止抗生素的副作用

身體的防禦構造對抗生素產生過剩反應時，就會引起休克症狀。大家所熟知的「盤尼西林休克」就是一個例子。爲了避免發生這種情況，腸內細菌本身培養了對付抗生素的抵抗力，藉此可以防止休克。

腸內細菌擁有和腸黏膜所具有的抗體非常類似的抗體，所以腸本身不會把腸內細菌視爲異物。因此可以與腸黏膜互助合作，防止引起休克。

②排除細菌、化學物質及致癌物質等

上千億的細菌從我們口中進入，大部分都被胃酸或膽汁等消化液殺死。

殘存下來的細菌或毒素，則經由腸內細菌排除。

此外，腸內細菌也能夠分解各種致癌物質或食品添加物、環境荷爾蒙等化學物質，使其無害化，或是減少其量。

③與體內酵素的產生有密切的關係

腸內細菌和體內酵素的產生有密切的關係。

腸內細菌產生的酵素達到3000種以上。大約有5000種酵素以及在體內由最多酵素發揮作用的肝臟酵素（例如解毒酵素「苯胺羥化酶」）藉著腸內細菌的作用提高其作用。

此外，還會製造出促進睡眠的酵素以及抑制肥胖的酵素等，這些都和腸內細菌有關。

與腸內細菌有密切關係的酵素，包括①腸黏膜酵素，②糖、蛋白、脂肪分解酵素，③解毒酵素，④肝功能相關酵素，⑤腦、神經相關酵素等，與體內所有的生命活動都有關。

也就是說，保持好的腸內環境，使得腸內細菌活化，製造出體內酵素，就能夠提高免疫力，維持健康，得到長壽。

隨著年齡的增長，很難製造出體內酵素，而現代社會的環境污染、壓力、食品添加物、農藥、藥品、抗生素的大量使用等原因，也使得體內酵素的功能顯著衰退。

此外，會使人體生鏽、與老化或其他的生活習慣病都有關的活性氧的害處極大，爲了保護自身免於這些害處，從體外補充酵素格外的重要。而補充幫助酵素作用所需的維他命和礦物質，也非常重要。

腸內細菌和在體內與生命活動有關的酵素關係密切

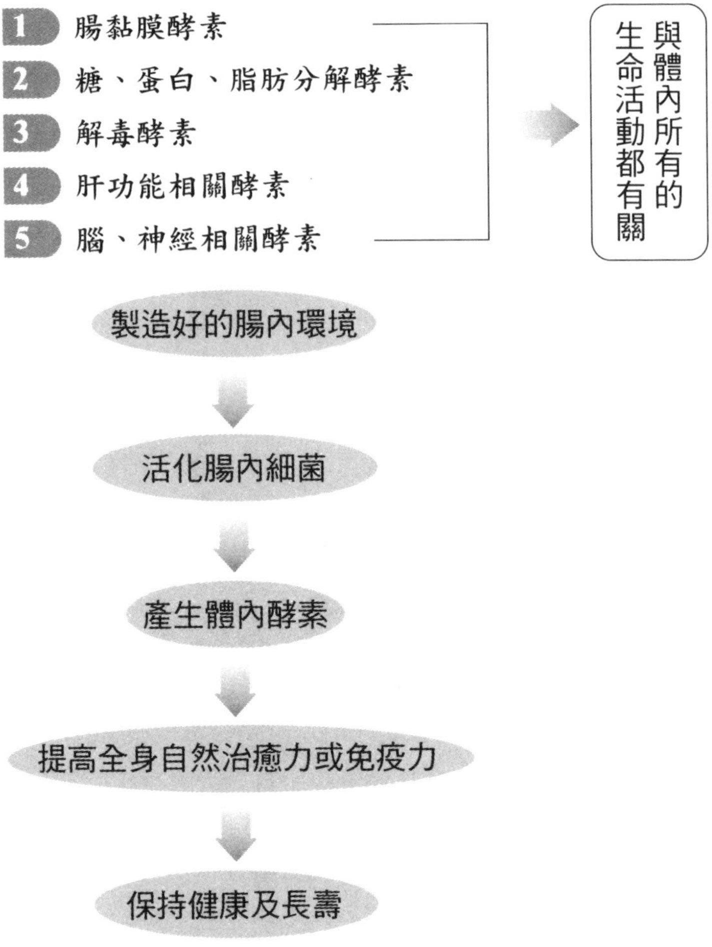

1 腸黏膜酵素
2 糖、蛋白、脂肪分解酵素
3 解毒酵素
4 肝功能相關酵素
5 腦、神經相關酵素

→ 與體內所有的生命活動都有關

製造好的腸內環境
↓
活化腸內細菌
↓
產生體內酵素
↓
提高全身自然治癒力或免疫力
↓
保持健康及長壽

3～10 腸內細菌的瓦解會引起疾病

★癌症或過敏的首要原因是腸內細菌的瓦解

腸內細菌在腸內保持一定的平衡，發揮許多超乎我們想像的作用，而且與維持健康有關。

引起腸內細菌叢異常的原因有很多，包括不規律的飲食生活、動物性蛋白質或脂肪攝取過多、飲食過量、長期服用藥品或抗生素等。當然，腸相也會變成惡相。

腸內細菌的平衡暫時受到這些影響而瓦解，但是卻具有恢復健康時的平衡的力量。但是如果造成平衡瓦解的原因長期持續出現，那麼就很難恢復到正常狀態，而會造成腸內細菌叢的異常。

這時，乳酸菌等對身體有益的菌類減少，有害的菌類增加，結果就會出

現以下的症狀或疾病。

①引起腸內的異常發酵與腐敗。

腸內氣體大多是隨著飲食和唾液一起吞下的空氣。當腸內細菌叢異常，使得發酵菌或腐敗菌增殖時，醣類和蛋白質被分解掉，就會在腸中製造出氨、甲烷、硫化氫、吲哚、糞臭素、胺、酚等腸內腐敗毒素的產物。

這些物質不僅對於健康有害，而且會成爲具有惡臭的屁，從直腸排出，由腸壁被吸收，對身體細胞產生作用，成爲引起各種疾病的原因。

這些毒素會刺激腸黏膜細胞，結果會出現②以下的情形。

②產生活性氧，造成息肉等變異細胞的發生，提高癌症的危險性。

③引起下痢。

腸本身對於腸內所形成的有害發酵、腐敗物會產生排斥反應。此外，爲了抑制增加，也會引起下痢。

④產生感染症、過敏反應。

對身體而言，如果益菌減少，則病原菌就會輕易的侵入體內，同時免疫力也會減退，變得容易感染病毒、沙門氏菌、O—157大腸菌等。

如果腸內細菌叢平衡瓦解的狀態長期持續下去，就會喪失乳酸菌的功能。身體免疫力顯著減退，結果就容易引起癌症、糖尿病、高血壓、肝病、過敏等生活習慣病。

擁有好的腸內細菌，才是保持身體健康與長壽的秘訣。腸的健康「腸壽」，才是長壽的秘訣。

最重要的是飲食。只要實行我所建議的飲食法，就能夠創造好的腸內細菌叢。此外，規律正常的排泄糞便也非常重要。

腸內細菌叢瓦解所引起的症狀與疾病

1. 引起腸內的異常發酵與腐敗。
2. 由於活性氧的產生，促進息肉等變異細胞的發生，提高癌症的危險性。
3. 引起下痢或便秘。
4. 引起感染症、過敏反應。
5. 在遺傳上（體質上）較弱的身體部分或臟器會發生疾病。

可以當成主食的理想糙米與五穀雜糧

★富含維他命、礦物質及酵素的糙米飯

很多人的主食都是白米、白麵包、白烏龍麵等精白食品。但是在精白的過程當中，會喪失很多的維他命、礦物質及酵素類。

我們每天所使用的調味料或加工品，幾乎全都含有食品添加物。日本是食品添加物較多的國家，允許使用350種食品添加物。其次則是美國，允許104種。

曾經調查日本市售便當添加物的數目，結果發現一個便當裡竟然含有80種添加物。

蔬菜或水果等農作物使用農藥或化學肥料，再加上水質降低以及環境污染，食品的品質也隨之降低。我們在無意識當中將大量的有害物質攝取到體

內。看起來營養均衡、熱量足夠的飲食，卻在體內造成維他命、礦物質及酵素類的缺乏。

所以每天的飲食應該注意下列幾點。

①要避免含有食品添加物的食品或加工品。

②主食要攝取未精白的穀物（糙米、麥、稗子、小米、稷等）。

③每天攝取大量的蔬菜、豆類、海藻類、水果。

雖然攝取了這些食品，但是還是要排出進入體內後在體內製造出來的毒素或老廢物。

尤其像主食「米」，原本擁有外殼狀態時稱爲糙米。糙米中有胚芽和米糠，含有40種以上的成分。胚芽含有維他命B群、維他命E、維他命K、鈣、鎂、鐵、磷、鉀等礦物質以及酵素。

糙米中含有不可或缺的營養素，當成主食最爲理想。糙米中富含食物纖維，具有將食品添加物或農藥等化學物質在腸內所製造出來的許多毒素和老

廢物排出體外的作用。此外，胚芽和表皮也含有能夠去除活性氧之害的類黃酮。

很多人說糙米「很難煮」或「味道不好」。不過現在的電子鍋幾乎都有糙米食譜，只要多加一點水，就可以煮出好吃的糙米飯。不必特別使用壓力鍋。當然，選擇良質米十分重要。

我自己是在2～3杯的糙米中混入1杯五穀雜糧（麥片、小米、稗子、稷等），當成主食，一天吃2～3次。我也建議我的患者將主食更換爲糙米和五穀雜糧。1年後檢查胃腸，結果胃相、腸相大爲改善，同時全身狀況也改善很多。

日本是世界上允許最多食品添加物的國家

日本	350 種
美國	140 種
英國	14 種
北歐	0

主食採用糙米 2～3 杯加上 1 杯五穀雜糧（麥片、稗子、小米、稷等）煮成的雜糧飯較好。

3～12 蔬菜的攝取量為30%，以新鮮蔬菜和溫蔬菜較好

★動物性食品1天攝取100g，以魚為佳

A．蔬菜類要佔1天飲食的30～40%

①豆類攝取量爲5%

大豆、蠶豆、小紅豆、四季豆、堅果類、種子類等，適量攝取對身體很好，但若吃太多，蛋白質就會成爲腸內異常發酵的原因。植物性蛋白質也不可以每天攝取太多。攝取太多的豆腐，會造成蛋白質過剩，要多注意。

②水果類攝取量爲5%

不需要大量攝取水果類，1天吃2～3種較好。攝取水果的時間尤其要注意，最好是在早餐前的30～40分鐘，晚餐後要避免攝取。柑橘等水果的果糖會在胃內引起發酵，產生腸內氣體，容易放屁，有的人甚至會下痢。果汁

含有乳糖，也會出現同樣的情況。

③生菜沙拉及5～6種溫蔬菜各攝取1大盤

可以攝取果菜汁，但只靠果菜汁並無法攝取到足夠的蔬菜和水果。盡量以自然的形態做成生菜沙拉。此外，燙過或燜2～3分鐘的溫熱蔬菜較好，容易攝取，而且量的方面也較足夠。若要攝取酵素，則以新鮮蔬菜較好。因此，每天要攝取生菜沙拉和5～6種的溫熱蔬菜1大盤。

B・動物性食品1天攝取100g，以魚為佳

④獸肉1個月吃2～3次，雞肉1週吃1～2次

動物性食品攝取量爲10～15％，而且最好不要吃獸肉，吃魚比較好。簡單的說，動物性食品1天只要攝取100g就夠了。吃了溫度高於人類體溫的動物時，血液會變得黏稠，膽固醇和中性脂肪會增高。因此，像牛肉、豬肉、羊肉、火腿、香腸、培根等，不要吃太多，盡可能1個月只吃2～3次。尤其中高年齡的人，或膽固醇、中性脂肪、尿酸值較高的人，更需要注

意。脂肪較少、對健康較好的是雞肉，不過禽類的體溫大約40度左右，1週也只能吃1～2次。

年紀較輕、健康的人，可以1天吃1個土雞蛋。

⑤選擇能夠整條吃的小魚最理想

相反的，像魚等體溫較低的動物，含有EPA（二十碳五烯酸）以及DHA（二十二碳六烯酸）等脂肪酸，能夠使血液清爽，降低膽固醇或中性脂肪。魚貝類則選擇可以整條吃的小魚最爲理想，不過吃魚肉和貝類也無妨。關於魚的調理法，與其加熱，還不如生吃或以接近生食的狀態來攝取比較理想。

C・含有鞣酸的茶類一天要喝2～3杯以上，避免空腹喝

提到嗜好品，在攝取量方面也有一些限制。

例如綠茶、烏龍茶等含有大量鞣酸的茶，常喝這類茶，則其中所含的咖啡因等物質會造成不良的影響。此外，經由顯微鏡觀察，發現胃黏膜會變

新谷式飲食法的秘訣

1. 豆類攝取 5%。豆腐是精製蛋白質，不能攝取太多
2. 水果類攝取 5 %。在早餐的 30～40 分鐘前攝取，晚餐後要避免攝取
3. 生菜沙拉和 5～6 種溫熱蔬菜要攝取 1 大盤
4. 動物性食品 1 天攝取 100g，以魚為佳
5. 獸肉 1 個月攝取 2～3 次，雞肉 1 週吃 1～2 次
6. 雞蛋方面，中高年齡的人 1 週吃 1～2 次，兒童及年輕健康的人 1 天可以吃 1 個
7. 魚方面，選擇可以整條吃的小魚較為理想，但是吃魚肉或貝類也無妨
8. 含有鞣酸的茶類，只能在用餐時喝 2～3 杯

薄，引起慢性的萎縮性的胃炎。根據我的經驗，這種慢性萎縮性胃炎最後容易轉移爲胃癌。

50歲以上的東方人，90%以上出現萎縮性胃炎的現象，而美國20人當中不到一人。這可能是農藥造成的影響，但是我想攝取太多茶中所含的鞣酸，是造成慢性萎縮性變化的一大原因，而且容易引起胃癌。

近年來，證明茶中所含的兒茶素等抗氧化物質能夠有效防癌，所以世界各地有很多人開始愛喝綠茶。但是日本東北大學醫學部的坪野吉孝講師等人的研究團體，歷經九年對宮城縣內40歲以上男女2萬6000人進行追蹤調查，發現1天喝5杯以上綠茶的人和只喝1杯以下的人相比，得胃癌的機率相同。由此可知，爲了防止胃癌而喝大量的綠茶，並不能夠得到確實的效果。喜歡喝茶的人，每天只要在用餐時喝2～3杯即可。

第4章

使身體新陳代謝順暢、避免罹患疾病的飲水法

養成1天喝1ℓ以上好水的習慣，

對於維持健康與年輕是不可或缺的方法

4～1

1天最少攝取1ℓ好水

★養成攝取好水的習慣能夠使腸相變好，促進新陳代謝

攝取好水，能夠使身體的新陳代謝順暢，使腸相變好，同時也能夠使體內酵素活化。

人體大部分是由水構成的，兒童約有80％是水，成人約70％，老人約50～60％。年輕人有「水水嫩嫩」的形容詞，年紀大了之後則有「枯槁」的形容詞，這正表現了年紀愈大，身體就失去愈多的水分。

人體是由50～60兆個細胞所構成的。細胞內外都充滿水分，血液一半以上都是水。從口中喝進的水很重要。攝取新鮮乾淨的水，就能夠使血液流通順暢，新陳代謝旺盛，藉此就能夠滋潤皮膚，同時胃腸功能也會隨之順暢，能夠減少血液中的膽固醇及中性脂肪。

建議大家每天攝取1500～2000mℓ的乾淨水。飲用方法如下。

①早上起床時空腹喝500～750mℓ。

②午餐的30分鐘～1小時前喝500mℓ。

③晚餐的30分鐘～1小時前喝500mℓ。

此外，用餐時也要各喝一杯。但是此時可能會稀釋消化酵素，所以用餐時最好不要喝太多水。

水並不是隨時都可以喝的。不能因爲植物需要水，就拚命的爲植物澆水，否則植物會腐爛。同樣的，不管是人體或任何事情，都必須遵守規律。飯前30分鐘～1小時內喝水，讓水在用餐時進入腸內，就不會讓胃被水漲滿而無法吃東西了。

對於高齡患者，我會建議他們一天至少要喝1ℓ的乾淨水。

三餐飯前30分鐘～1小時喝500mℓ，則平均1天就可以喝1500

mℓ，這是最理想的。爲避免用餐時消化酵素被水稀釋，則用餐時最好只喝150～200mℓ。冬天因爲水太冷，無法喝很多，即使喝了，也會使身體變冷，因此可以少量攝取溫度稍低於常溫的水。

早、午、晚定時喝至少350mℓ的好水，尤其早上起床時，花點時間向喝500～750mℓ的水挑戰。

有些不喜歡喝水或太瘦的女性，突然喝太多的水，會因爲身體電解質的鈉或鉀被稀釋掉而覺得不舒服，或是有下痢現象。但是只要長期持續下去，讓身體習慣，情況就會改善。

人體大部分都是由水構成的

1. 兒童約80%
2. 成人約70%
3. 老人約50～60%

1天至少攝取1500mℓ的好水

1. 每餐飯前30分鐘～1小時喝500mℓ
2. 用餐時充分咀嚼食物，產生胃液與唾液。減少喝水量為150～200mℓ
3. 太冷的水會使身體冰冷，不能喝太多，應該慢慢的喝較溫熱的水

4～2 不要用茶或咖啡代替，要直接喝水

★每天攝取不含化學物質的水1500mℓ

有的人認爲，「既然要喝水，那麼就藉著茶和咖啡來攝取水分好了。」但是對人體而言，養成直接喝水的習慣非常重要。常喝茶類、咖啡類、汽水類、啤酒類等，不但無法補充血液中的水分，反而會引起脱水現象。咖啡類、酒精類和汽水類中所含的糖分、色素、添加物等，會從身體細胞和血液中奪走水分。不僅如此，也會使得肌膚乾燥，並且使得血液濃度變濃，引起維他命和礦物質的缺乏。

夏天太熱時會流汗，這時有的人會想喝啤酒，但是這樣會造成動脈硬化、血管狹窄而引起脱水，進而使得血液黏稠，引起心肌梗塞或腦梗塞，相當危險。尤其是中高年齡層罹患高血脂症、高血壓、糖尿病的人，這麼做很

危險，一定要注意。

對於茶或咖啡中所含的咖啡因相當敏感的人，有時會導致血壓或眼壓上升，也要多加注意，平常盡量不要喝。此外，喝咖啡因類或酒精類飲料之後，爲了解毒，會消耗掉體內酵素，所以不建議各位攝取。

相信各位已經了解，要排出體內的老廢物或毒素、促進新陳代謝，則喝好水非常重要。

好水的條件如下。

①不含氯等化學物質，不會氧化

②水分子束比較小，容易被身體吸收

③具有還原作用的水

成人平均1天攝取1500mℓ較爲理想，高齡者1天要喝1000mℓ的水。

經常有人說：「夜間脱水，血液發黏，會引起梗塞的危險性，因此高齡

者或有生活習慣病的人，最好在睡前喝水。」但是如果在白天攝取了一定量的水，就不用擔心這個問題了。

在睡前喝水，有的人反而會出現橫隔膜突出（胃的一部分朝食道方向隆起），胃液及胃中的東西會逆流到食道內。老年人一旦發生逆流，則可能會有東西被吸到氣管中，因而引起慢性支氣管炎、肺炎或肺膿瘍等而危及生命。目前死亡率佔第4位的肺炎，其發生的一大原因，就是晚上太晚或於就寢前2～3小時吃東西而造成的。

此外，中年以後的女性，水容易積存在眼瞼等身體柔軟的部分，成爲浮腫或起床後出現小皺紋的原因。要改善這一點，那麼最好在睡前4～5小時不要攝取水分。

大量喝茶類、咖啡類、汽水類、啤酒等，不但無法補充水分，反而會引起脫水

好水的條件

1. 不含氯或其他的化學物質，不會氧化。
2. 水分子束較小，容易被身體吸收。
3. 具有還原作用的水。

4～3 公共的自來水含有氯以及致癌性物質

★用來進行水中殺菌的活性氧會使水氧化，成為生活習慣病的原因

近年來，大家都在討論公共自來水的害處。不光是味道難喝，同時原本應該是生活基本的自來水，對我們身體而言反而成爲有害物質。

自來水中含有消毒所使用的氯，以及被稱爲致癌物質的總三鹵甲烷、三氯乙烯等。此外，也因爲混入了劇毒物質戴奧辛，以及使人類精子減少的環境荷爾蒙等而受到污染。

其原因包括下列幾點。

①河川和地下水等原水的污染相當嚴重，而在淨水場無法去除這些污染。

②雖然淨水場製造出安全的水，但是由於輸水管老化，在運送途中也會受到污染。

大都市的自來水難喝及污染程度，是眾所周知的事實。貯水槽的污染等使得水惡化的要因不斷的增加，連自來水公司都很難處理。此外，必須注意的是，自來水是塞滿了老化和生活習慣病元兇的「活性氧」的水。

那是因爲水必須要殺菌。殺菌時，在水中投入氯，於是產生活性氧。活性氧可以殺菌，但同時水也會因爲活性氧而被氧化。

因爲活性氧而造成的疾病之一就是糖尿病。1998年3月19日，朝日新聞用一整個版面報導了糖尿病的現況。糖尿病患者有690萬人，若包括潛在患者在內，則有1370萬人。根據1990年的調查，患者人數爲566萬人，7年內就增加了130萬人。

根據水研究者指出，糖尿病患者增加的最大原因之一，就是飲用自來水。持續飲用自來水，會使胃腸的腸內細菌的平衡瓦解，引起異常發酵，排

出伴隨惡臭的糞便。這些人的體內產生大量的活性氧，造成糖尿病及其他生活習慣病的原因。

根據研究資料顯示，喝含有「活性氫」的還原水，可以有效的改善糖尿病。近年來，大家已經注意到具有消除活性氧力量的「活性氫」。

活性氫是在自來水進行電解時，大量出現在陰極側水中的液體（電解還原水）。殺菌作用很強，香港腳患者只要每天將腳浸泡在裡面10分鐘，則一個月內就能夠治好。

根據日本九州大學研究院的白畑教授的研究，富含活性氫的水（活性氫水），具有增強吸收來自肌肉和脂肪細胞的葡萄糖的效果。因此，活性氫水（具有還原作用的水）有助於改善糖尿病。

公共自來水中含有很多危害健康的成分

1. 消毒所使用的氯。
2. 有致癌物質之稱的總三鹵甲烷、三氯乙烯。
3. 劇毒物質戴奧辛。
4. 使人類精子減少、使雄性小動物雌性化、使雌性雄性化的環境荷爾蒙。

4～4 養成喝好水的習慣，能夠使胃相、腸相變好

★攝取好水的習慣能夠防止生活習慣病，得到長壽

使胃腸的流通順暢、使胃相及腸相變好的重點，就在於喝好水。

並不是喝什麼水都可以。喝太多含有氯的自來水，會使腸內細菌的平衡瓦解、腐敗菌等增殖，引起異常發酵。一旦引起異常發酵時，就會造成下痢或便秘，排出氣味較強的臭屁或惡臭便。這個臭味的原因物質就在於硫化氫、氨、組織胺、吲哚、糞臭素、酚、亞硝基胺等有毒氣體。

對我們的身體而言，這些氣體是毒，是引起各種疾病的原因。硫化氫和氨會損傷肝臟，組織胺則會引起過敏性疾病，如：異位性皮膚炎、蕁麻疹、氣喘、過敏性鼻炎、發粉症。此外，吲哚、酚、亞硝基胺等是致癌性物質，是引發癌症的原因。

腸內積存氣體時，就會產生癌症等生活習慣病原因的活性氧，因此要避免腸內發生或積存氣體。

尤其對於孕婦而言，問題更爲嚴重。懷孕期間爲10個月，孕婦排泄惡臭便。這些劇毒物質經由腸壁吸收被運送到肝臟，然而肝臟無法完全進行解毒處理的毒素會留在血液中，透過胎盤送到受精卵或胎兒體內，結果就會造成受精卵的基因異常。爲了防止先天性疾病，孕婦一定要避免胃腸內異常發酵。

細分肝臟的功能，大約有500種，其中最大的功能就是解毒機能。肝臟會全力進行解毒，但是超過其能力界限時，就會在自己體質或遺傳上較弱的部分出現疾病。因此，平常就要過著不會產生惡臭便或氣體的飲食生活，喝好水，避免便秘或宿便積存。

飲水方面，要飲用能夠去除在腸內發生活性氧、具有還原作用的水。此外，也要進行咖啡灌腸法，使得引起發酵、腐敗、含有大量毒素的糞便盡早

排出體外，這樣才能避免對肝臟造成太大的負擔，同時也可以改善肝功能。

習慣喝好水的人，其胃相、腸相都很乾淨。觀察喝好水的人的胃相，其黏膜皺襞相當的滋潤平滑，呈美麗的粉紅色。在腸的方面，情況也一樣。很少喝水的人的腸相，腸黏膜很乾，到處都有宿便。此外，腸內有宿便或是停滯便積存時，容易出現息肉或癌。

這些人的皮膚失去滋潤，有很多斑點或皺紋，外表看起來比實際年齡更老，而且也容易罹患過敏性或其他的皮膚炎。

攝取好的飲食，並且養成喝好水的習慣，使得胃相、腸相變好，對於防止疾病、維持健康和青春而言非常重要。飲食生活和水就好像車子的兩輪一樣。飲食生活正確再加上喝好水，就能夠促進身體的新陳代謝，防止生活習慣病，得到健康及長壽。

長期飲用自來水，是形成惡臭便的原因之一

氣味較強的臭屁或惡臭便的原因是有毒氣體

硫化氫、氨、組織胺、吲哚、糞臭素、酚、亞硝基胺

這些有毒氣體在腸內產生活性氧，成為癌症及萬病的原因

喝具有去除活性氧作用（還原作用）的水非常重要

喝好水，能夠使胃相、腸相變好，得到健康

4～5 了解水的性質，選擇好水，得到健康

★好水是指礦物質豐富、具有抗氧化作用的水

我們所說的「水」，包括能夠使我們身體健康的水，以及使我們生病的水。那麼飲水到底應該具備什麼樣的條件呢？

好水的條件如下。

①不含污染物質。

②均衡的含有鈣、鎂、鉀、鈉、鐵等礦物質成分。

③水的pH值（氫離子指數）約7・5以上的弱鹼性。

④水的分子束比較小。分子束較小的水味道很好，在體內也能夠被迅速吸收，提高健康效果。

⑤具有適當的硬度。水的硬度是以氧化鈣的量來決定的，量不可以太

多。

⑥含有適度的氧及二氧化碳。美味水的適當條件是，1ℓ的水中含有氧5毫克、二氧化碳20毫克。

⑦具有消除活性氧的作用（抗氧化力）。好水不僅能夠消除活性氧，而且也具有促進進入體內的抗氧化物質作用的效果。

符合以上條件的水有下列幾種。

①鹼性離子水

鹼性離子水能夠使得體內的微量營養素（維他命和礦物質）有效的吸收到細胞和血液當中，同時也能夠有效的溶解老廢物及毒素，加強將這些物質排出體外的效果。1965年，日本厚生省認定鹼性離子水對於胃腸內異常發酵或其他症狀有效，許可電解水生成器當成醫療器具使用。

②電解還原水

進行水的電解時，出現在陰極側的水。富含去除活性氧的「活性氫」。抗氧化作用很強，能夠保護身體免於氧化之害。

③π水

接近人類生物體水的水。水分子束極小，容易被身體吸收，具有提高生命能量的效果。

④利用淨水器製造出的有助於健康的水

對於人體而言，最自然而且又健康的好水，就是深山地下湧出的泉水。外出時，購買市售寶特瓶裝的昂貴天然水或自然水等，到底對身體有多少好處，令人懷疑。因此，如果是全家人要喝的水或調理用的水，則可以購買價格稍微昂貴的淨水器或整水器，這樣就可以喝到好水了。

市售的淨水器有很多種。有些製品可以製造出有助於健康的π陶磁、還

原陶磁、負離子陶磁、磁氣陶磁、蜂膠陶磁或高性能碳等。

好水不僅是用來飲用，也可以用在調理方面。即使食材很好，但如果調理時用的水不好，也是枉然。

當然，進行咖啡灌腸法的時候，也要使用這些好水。

好水的條件

1. 不含污染物質。
2. 含有適當的礦物質成分。
3. 水的 pH 值為約 7.5 以上的弱鹼性。
4. 水的分子束較小。
5. 硬度適當。
6. 含有適量的氧和二氧化碳。
7. 具有消除活性氧的作用（抗氧化力）。

體驗

6年來看了10家醫院都治不好的皮膚炎，在利用電解還原水2個月之後，就改善為漂亮的皮膚

茨城縣　荻原　豐（50歲・經營公司）

我在茨城縣經營超級市場和餐廳。

雖然是社長，但是人手不夠時，自己也要下廚幫忙。

因爲經常使用手，所以6年前手掌和手指、手背的部分出現好像異位性皮膚炎似的濕疹。輾轉看了10幾家醫院，服用及塗抹了一些據說對皮膚炎很好的藥物，但是症狀一直沒有好轉。工作時必須戴手套，造成滲血、腫脹，有時無法工作。由於醫院始終治不好，因此我已經抱持半放棄的心態。

就在此時，在報紙上看到關於還原水的介紹。看了報導之後，我想疾病的原因可能是水，而且水是治好疾病的重要因素。有些醫師也治不好的患

者，利用泡湯療法卻治好了疾病。而這些泡湯場的共通特徵，則是含有礦物質等對身體很好的成分。

我很感興趣的是能夠除去萬病根源活性氧的「活性氫」。活性氫大量存在於電解製造的電解還原水中。

於是趕緊購買電解還原水生成器，每天喝電解還原水。不僅用來泡茶、沖泡咖啡，連喝水酒時也會使用。1天喝1ℓ。味道不錯，很容易喝。

每天持續喝電解還原水，2個月之後濕疹得到改善。原本嚴重的腫脹現象消失，罹患濕疹的部位只留下一些白色的痕跡。肌膚變得很美麗，根本令人難以想像曾經得過濕疹。

體驗

一天喝3ℓ的混合陶磁淨水器的水，不會有空腹感，1個半月內成功的瘦了10公斤，腫疱也消失了

兵庫縣　齊藤　隆（34歲・公司職員）

今年春天家裡安裝了混合陶磁淨水器。這是朋友的建議，藉著它的幫忙，讓我實際感受到水的美味。當時回國的哥哥也稱讚「這水很好喝」。任誰喝了之後，都立刻感覺到味道不同。

從此以後，每天都喝2ℓ的量。喝了這個水之後，身體的確變好了。新陳代謝順暢，排尿順暢，上廁所的次數增加，而且本來經常出現的腫疱也不再出現了。

我從事店面工作，一切以顧客爲優先，因此用餐時間不規律。有時晚上12點才吃晚餐，而且經常喝酒，因此體重不斷的增加。身高170cm，體重

卻重達93公斤，非常的胖。

醫師提醒我要注意。我也想要減肥，後來就想到利用這個水。食物方面，會攝取一些減肥食品，避免熱量過剩，但是也會喝利用π陶磁和負離子陶磁等各種陶磁混合而成的陶磁淨水器製成的水。減肥前1天喝2ℓ，開始減肥之後一天喝3ℓ。工作時會把水放在寶特瓶裡，隨身攜帶，肚子餓的時候就喝2杯。結果熬過了減肥所伴隨的空腹感。

體重在1個半月內減少了10公斤，變爲83公斤。對於據說有各種害處的自來水，我有一些排斥感，但是這種水則非常好喝，能夠安心飲用。料理時或沖泡咖啡、泡茶等，也是使用這種水，十分好喝。用來煮飯，煮出來的飯也非常好吃。希望大家試試看。

第5章

有助於健康的輔助食品與親身體驗者的感人心聲

了解成分，巧妙的使用，

有助於預防及改善生活習慣病

正確的利用輔助食品能夠增進健康，同時提高營養素的消化及吸收，防患老化及疾病於未然

美國半數以上的國民，每天都會攝取維他命或礦物質劑等營養輔助食品。

營養輔助食品，是來自於美國的法律用語（dietary supplement）。製作成錠劑或膠囊等醫藥品般的形狀，但卻是以補給營養或增進健康爲目的的食品。成分包括維他命、礦物質、食物纖維、酵素・酵母類、乳酸菌類、浸出的花草類。藥物是浸出有效成分精製而成的東西，基本上對身體而言是異物，是會成爲毒的物質。營養輔助食品則是食品或食品的一部分，比醫藥品更安全，幾乎沒有副作用或毒性。只要不攝取超過一定的量，就可以安心使用。很多醫師對於營養輔助食品會抱持否定的看法，但是有些營養輔助食品卻有與醫藥品並駕齊驅的效果。

近年來，根據各種研究發現，要對付癌症、高血壓、糖尿病或心臟病等眾多生活習慣病，只要藉著含有營養輔助食品的營養療法，就可以加以改善或治療。我們所需要的是，食物中所含的維他命或礦物質的作用，關於其必要量，要擁有基本的知識。此外，藉著巧妙利用各種營養輔助食品，就能夠充分攝取到能夠提高免疫力和自然治癒力的營養素。

營養輔助食品具有以下的效果。

①**提高營養素的消化、吸收**。
②**抑制活性氧**。
③**促進血液循環**。
④**提高免疫力和自然治癒力**。

這些效果不僅能夠增進健康、預防疾病，同時也能夠讓人得到長壽。

營養輔助食品有很多。例如，銀杏葉精在日本被當成營養輔助食品來處

理，然而美國在30年前就將它當成腦梗塞的醫藥品來使用。選擇營養輔助食品時，要充分了解其內容的特性，選擇適合自己的產品。搭配這些特性，就能夠得到相輔相成的效果。此外，挑選時還要注意以下幾點。

①安全可靠、無副作用的成分。

②含有營養及有效物質。

③消除活性氧的力量強大。

④是自然食品，食物纖維豐富。

⑤熱量較低。

可以找熟悉營養輔助食品的醫師或藥劑師商量，要知道正確的攝取方式。依營養輔助食品種類的不同，有效作用也有強弱之分。此外，在優缺點、費用差距等方面，都要做適當的選擇。要記住，並不是只靠單一的營養輔助食品就會出現所有的有效作用。

營養輔助食品具有各種作用

1. 提高免疫力和自然治癒力
2. 提高抗氧化力
3. 提高體內的解毒作用
4. 防止腦細胞老化
5. 使血液循環恢復正常
6. 保持美肌
7. 抑制老化，提高性功能
8. 培養能夠生下健全嬰兒的力量
9. 使兒童身心健全成長

5～1

成為掌握健康關鍵的體內酵素的「糙米發酵食品」

雖然知道糙米很好，但是有的人還是不喜歡吃。建議各位可以使用以糙米爲原料發酵製成的糙米發酵食品。糙米發酵食品，是使糙米發酵、成熟，提高在體內的消化、吸收力，而且藉著發酵，成爲含有更多的酵素、氨基酸及維他命B群等的食品。通常食物經由加熱調理之後會失去酵素，而這也可以說是補充酵素的食品。

富含去除活性氧的SOD等生理活性酵素，不僅有助於防止老化，同時能夠提高免疫力及自然治癒力，有助於預防及改善生活習慣病。

根據最近的研究發現，它含有多種新的健康效果。

日本富山醫科藥科大學醫學部的田澤賢次教授，用老鼠做研究，發現它具有防止造成癌症發生原因的基因損傷的效果。將食用在飼料中加入糙米發

酵食品的老鼠與未食用的老鼠加以比較，發現在飼料中加入糙米發酵食品老鼠群的基因損傷明顯的受到抑制，而且中性脂肪也保持在較低的數值。

日本岐阜大學醫學部的森秀樹教授所進行的老鼠實驗則認爲，糙米發酵食品有助於預防大腸癌。能夠預防及改善肝炎或肝癌。將具有在3～4個月內一定會發猛爆性肝炎的特徵的老鼠分爲2群，①給予普通飼料，②給予加入糙米發酵食品的飼料。互相比較時，發現糙米發酵食品老鼠群的肝炎發病與死亡時期得以延緩。

而且攝取愈多的糙米發酵食品，效果就愈高。詳細原因有待今後的研究，不過事實上，糙米發酵食品的確能夠提高身體的抗氧化作用，有助於預防癌症及生活習慣病。

根據日本九州大學醫療技術短期大學部的長山淳哉副教授的研究，糙米發酵食品有助於改善現在成爲社會問題的戴奥辛、PCB及農藥等的體內污染問題。

體驗

藉著糙米發酵食品使腸功能順暢，改善風濕疼痛，回到不需要拄拐杖就能夠走路的生活

東京都　山本由紀子（54歲・鋼琴家）

24年前風濕發病。那是在生下次男那一年的梅雨時期發生的事情。最初是左膝腫脹，醫師診斷爲關節炎，進行抽水治療。但是後來膝蓋無法彎曲，必須拄著拐杖才能夠走路。

到醫院檢查，並沒有出現風濕反應，不過很明顯的，症狀就是風濕。疼痛嚴重，痛到幾乎要昏倒。睡覺時不能翻身，否則就會痛到無法安眠。半夜時常痛到哇哇叫。即使只是空氣振動，也會感覺疼痛，因此每當孩子叫著「媽媽」而要跑過來時，丈夫都會制止他們。

後來兩個腳踝腫脹，無法走路，於是只好拄著拐杖。有時要像狗一樣趴

在丈夫的背上，讓丈夫背著。當時才30幾歲，心想：「難道我的人生就這樣結束了嗎？」情緒十分低落。

爲了將來著想，一定要治好疾病。後來嘗試過各種健康食品。在距今7年前，於朋友的建議之下，飯後食用2包糙米發酵食品。最初半信半疑，但是按時吃了2天以後，排出大量的糞便。實際感覺到腸清掃乾淨了。

2個月後出現頭暈、噁心感等好轉反應，雖然有點不安，但是我認爲這是將以往身體不好的部分排出的效果。

因此比以前更加積極的攝取。結果以前既軟又容易斷裂的指甲，現在已經變硬，不容易斷裂。這就證明因爲補充了糙米發酵食品當中所含的維他命和礦物質，尤其是鈣質，因此使得骨骼健壯。

後來疼痛慢慢去除，2年後得到大幅度的改善。20年來無法放手的拐杖不再使用，能夠以平常的方式走路了。

此外，每天排出大量的糞便，覺得腹部很清爽。在罹患風濕之前，會反

覆下痢或便秘，腸的功能不良。現在也不容易感冒，就算感冒，也很快就痊癒。

這幾年來，按照新谷式飲食法大量的攝取糙米、蔬菜、海藻類，每個月只吃1～2次的牛奶、乳製品，有時候不吃。喝大量的水。

丈夫是高中老師兼聲樂家，我則彈鋼琴、進行鋼琴演奏。風濕時，必須在腿上綁護膝才能踩鋼琴踏板演奏。丈夫一邊唱歌，一邊擔心我是否能夠完成演奏。

對於我們夫妻而言，最令我們夫妻害怕的是，因爲我的風濕而無法從事音樂活動。現在已經恢復了元氣，除了音樂之外，也希望大家能夠了解到健康的可貴。

5～2 強化腸內乳酸菌的乳酸菌生成萃取劑

如前所述，對於維持及增進健康而言，使腸內環境順暢十分重要。

使腸內環境順暢的秘訣，就是保持棲息在腸內的100～120兆個腸內細菌的平衡。腸內細菌包括益菌與害菌2種。在益菌占優勢的狀態下，能提高免疫力，有助於預防及改善便秘、生活習慣病、過敏及癌症等疾病。

益菌的代表就是乳酸菌。而能夠使乳酸菌增加、使腸內保持益菌占優勢的狀態的，就是乳酸菌生成萃取劑。

乳酸菌生成萃取劑，是以大豆爲主的植物性蛋白質加上16種乳酸菌繁殖、成熟，然後溶出對身體好的特別成分的萃取劑（分泌物）。也就是說，它不是乳酸菌，而是由乳酸菌製造出來的具有增加乳酸菌效果的萃取劑。

以身邊的食品爲例，大家比較容易了解的就是納豆。納豆的黏性物質是

納豆菌的分泌物，對身體而言是非常好的物質。這個黏性物質能夠使得納豆不會腐敗，而且創造出納豆菌能夠棲息的環境。

乳酸菌生成萃取劑令人期待的效果，包括下列幾點。

1、**增加乳酸菌，改善腸內環境**

①使消化、吸收順暢

②抑制害菌，消除糞便或屁的惡臭

③製造體內酵素、荷爾蒙、維他命，使其功能活化

④提升解毒作用

2、**促進及改善肝功能**

3、**減少胃內的幽門桿菌或將其消滅**

（有關納豆的詳細說明，可參考本社所出版之「納豆——天然的藥用食品」一書）

體驗

利用乳酸菌生成萃取劑使得潰瘍性大腸炎的煩惱在2個月內去除，不需要服用藥物，也不必擔心癌症

佐賀縣　園田隆壽（47歲·公務員）

在22歲時感覺身體不適，經常因為下痢和血便而頻頻上廁所。到醫院檢查，診斷是潰瘍性大腸炎，於是住院。當時潰瘍性大腸炎患者比較少，做了各種檢查和治療，同時討論動手術的問題。結果沒有動手術就出院了，但是要持續服用藥物。後來每隔3年就要住院，而治療方式則是採用不攝取食物的方法，以及24小時打點滴，投與類固醇、荷爾蒙及抗生素等物質。

後來因為工作交際應酬而經常喝酒，結果下痢或疼痛定期出現。1997年3月又住院2個月。1年後的3月，又出現同樣的症狀，雖然增加藥物，但是症狀並沒有好轉。到了4月，換了新的工作，卻因為接連腹痛及下

痢而無法工作，最後只好住院。

就在此時，朋友介紹我使用乳酸菌生成萃取劑。我從事農業指導員的工作，知道對植物而言，根相當的重要。而對人類而言，相當於根的部位就是腸。強化腸，就能夠提高全身的免疫力及解毒能力。

因此，不斷的忍耐在快要住院之前的不良狀態，同時1天攝取30mℓ的乳酸菌生成萃取劑。2個月內，幾乎不再腹痛和下痢，即使在工作辛苦的夏天也無所謂。完全不需要藥物了。

住院時，腸處於相當惡化的狀態，後來做內視鏡檢查，恢復爲粉紅色、具有光澤的腸。據説潰瘍性大腸炎通常在20～30年內有40％會癌化，而我已經度過了據説半數以上會癌化的25年的時間了。

知道我復原的朋友，也攝取了乳酸菌生成萃取劑，結果對很多人的膠原病、過敏性鼻炎、花粉症、肝病、糖尿病都有很好的效果。

現在我會把乳酸菌生成萃取劑加入全家人的飲水或味噌湯中。乳酸菌生

成萃取劑使我恢復了健康，真是非常感謝。

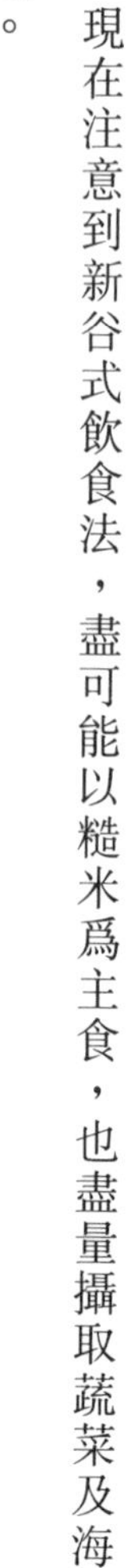

現在注意到新谷式飲食法，盡可能以糙米爲主食，也盡量攝取蔬菜及海藻類。

建議因爲潰瘍性大腸炎而痛苦的人採用這種方法。

5～3

提高免疫力、能夠防癌的「巴西蘑菇」

巴西蘑菇是原產於巴西的一種蕈類，屬於擔子菌類。

巴西蘑菇的多糖類中所含的β-D葡聚糖成分，能夠提高免疫力，抑制癌症的效果極高。此外，不僅直接對於癌細胞產生作用，也能夠旺盛的製造出干擾素或白細胞殺菌素，間接的消滅癌細胞或抑制其增殖。

此外，也富含澱粉酶、胰蛋白酶、麥芽糖酶、蛋白酶等消化酵素，能夠幫助消化我們所攝取的食物。

從脂肪的觀點來看，不飽和脂肪酸能夠防癌，減少多餘的膽固醇，避免形成血栓（血塊），有助於預防及改善生活習慣病。

體驗

藉著巴西蘑菇之賜，改善了原本衰弱的體質，不容易疲勞，也不會感冒

佐賀縣　田嶋幸子（28歲・公司職員）

3年前，因爲「對身體很好」，所以家人建議我使用巴西蘑菇。我本來就是過敏體質，小時候有氣喘的毛病，而且容易感冒，身體不健康。一整年鼻子都窸窸窣窣的，經常打噴涕，也很容易疲倦。

因爲體質上鼻子和喉嚨黏膜容易乾燥，所以必須注意飲食。像茶、咖啡、巧克力等嗜好品，或是醃漬菜等鹽分較多的東西，在身體不好時攝取就會引發喉嚨痛、流鼻水，因此盡量不攝取這些食品。

我選擇的巴西蘑菇是容易食用的錠劑型食品。1天攝取6顆。開始食用之後，立刻感覺到「身體變好」。可能是富含纖維質的緣故，原本有便秘傾

向的排便情況變得順暢，每天都能夠順暢排便。

持續攝取巴西蘑菇之後，變得不容易感冒，身體健康，過敏體質也獲得改善，能夠自由的吃自己愛吃的東西。此外，就算工作忙碌，也不會有疲勞堆積，不用再像以前一樣向公司請假了。

覺得身體狀況稍差時，只要比平常多吃2～3次巴西蘑菇，身體立刻就好了。

5～4 使血液循環順暢，改善記憶或痴呆的「銀杏葉」

在日本當成食品來處理，但是在德國和法國則是政府許可的醫藥品，這麼有效的東西就是銀杏葉精。

銀杏葉中含有13種類黃酮（植物中所含的色素成分的總稱），有些效力極強。藉由這些物質相輔相成的作用，可以使體內血液循環順暢，尤其可以改善末梢血管的血流，有助於預防及改善高血壓、糖尿病等生活習慣病。

銀杏葉精效果的最大特徵，就是有助於預防及改善腦血管障礙所引起的腦血管性痴呆。

此外，銀杏葉的成分中不容忽視的，就是銀杏葉特有的銀杏苦內酯。銀杏苦內酯具有抑制過敏症狀的作用。

體驗

腳的靜脈瘤消失，能夠穿裙子，對於母親的健忘也有改善效果

石川縣　高田直子（46歲・主婦）

4年前得知銀杏葉精這種東西，當時腿部膝蓋以下的部分出現靜脈瘤。靜脈瘤不痛，但是整條腿看起來是浮腫的，我十分在意。雖然自己看不到，但也不想被別人看到，因此從這時開始盡量避免穿裙子而改穿長褲。

聽到人家說銀杏葉精能夠改善靜脈瘤，於是我趕緊開始嘗試。我攝取的是非常方便的錠劑型。通常只要吃4顆即可，不過最初我吃得比較多，1次吃5顆。

攝取銀杏葉精2～3個月之後，靜脈瘤縮小，不再擔心腿的問題，能夠大大方方的穿短裙。

因爲確實感覺到銀杏葉精的效果，所以在治好靜脈瘤之後，爲了預防疾病，仍然繼續攝取。

除了靜脈瘤之外，我還有浮腫、肩膀酸痛、甲狀腺以及排尿不順等症狀，而這些症狀也一併治好了。我認爲銀杏葉精非常適合我的身體。

因爲有效，所以也讓84歲的母親攝取銀杏葉精。尤其科學驗證銀杏葉精有改善痴呆的效果。母親可能因爲年紀大了，很容易健忘。結果效果真的不錯，後來頭腦茫然的症狀不再出現，心情愉快，我也感到很高興。

5～5 備受注目的「甲殼質・殼聚糖」與「葡糖胺」

甲殼質・殼聚糖與葡糖胺都是現在受到注目的成分。甲殼質・殼聚糖是存在於蝦、蟹殼中的動物性食物纖維。蝦及蟹殼中有碳酸鈣、蛋白質、甲殼質、色素四種成分。從蟹殼中去除鈣或蛋白質，形成甲殼質，而甲殼質經由特殊處理就成了殼聚糖（參照圖1）。

●圖1

殼聚糖的製作方法及對身體的效果

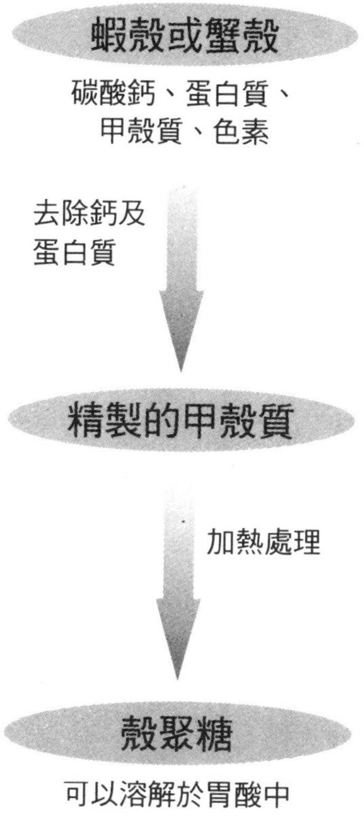

蝦殼或蟹殼

碳酸鈣、蛋白質、甲殼質、色素

↓ 去除鈣及蛋白質

精製的甲殼質

↓ 加熱處理

殼聚糖

可以溶解於胃酸中

●圖 2

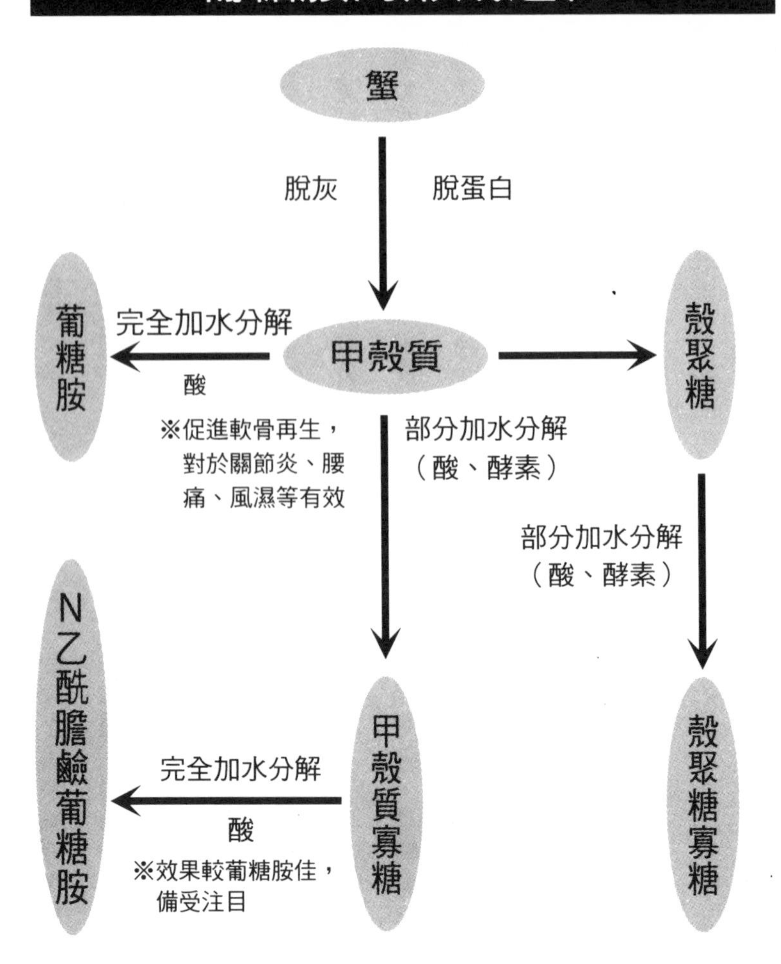
葡糖胺的形成過程
蟹
脫灰
脫蛋白
甲殼質
完全加水分解
酸
葡糖胺
※促進軟骨再生，
對於關節炎、腰
痛、風濕等有效
殼聚糖
部分加水分解
（酸、酵素）
部分加水分解
（酸、酵素）
N乙酰膽鹼葡糖胺
完全加水分解
酸
※效果較葡糖胺佳，
備受注目
甲殼質寡糖
殼聚糖寡糖

變成殼聚糖之後的最大優點，就是能夠溶於胃酸，飲用之後能夠得到其成分的效果。殼聚糖具有降低血糖值、膽固醇及尿酸值的作用，有助於預防及改善高血壓等生活習慣病。此外，也能夠抑制吸收多餘的脂肪，具有減肥效果。構成甲殼質・殼聚糖的物質之一，就是葡糖胺。葡糖胺原本是體內物質，能夠促進軟骨再生。對於隨著年紀增加、軟骨耗損而引起的變形性膝關節症、風濕、關節炎、腰痛等都有效。

在美國葡糖胺是最暢銷的健康食品之一，對於腰痛、肌肉痛、關節炎的預防及疼痛的改善具有著效，據說60～70％的患者都在使用。最近開發出比市售的硫酸鹽或鹽酸鹽葡糖胺機能更好的N乙酰膽鹼葡糖胺，得到新的專利，能夠預防及減輕腰痛、關節炎，緩和疲勞。除了可以治療眼睛乾澀之外，也具有肌膚保濕作用，當成美容素材的眾多機能性，格外備受注目（圖2說明了葡糖胺的製作方法以及在體內的促進合成作用）。

體驗

利用葡糖胺使膝蓋的軟骨再生，不再疼痛，煩惱了23年的憂鬱症大有改善

大阪府　今村日出子（59歲・自營業）

去年9月左膝疼痛。在醫院照X光，得知兩邊膝蓋軟骨耗損是疼痛的原因。疼痛強烈，夜晚無法入睡。不能靠自己的力量步行，只好以輪椅代步。

在朋友的建議之下開始攝取葡糖胺。我攝取的是在葡糖胺中加入從蟹殼、蝦殼中取得的甲殼質・殼聚糖的產品。飲用量爲1天1～2瓶，並不會很難喝。

膝蓋出了問題之後，接著又出現腰痛。

持續攝取葡糖胺之後，膝痛逐漸去除。今天3月19日照X光，醫師說：「軟骨再生了。」而腰痛也慢慢的好轉。

煩惱了23年、持續服用藥物的疾病，只攝取葡糖胺1週就好轉了。這可能是血液循環獲得改善的緣故。排出大量的汗，就算一整年都穿短袖衣服也無所謂，身體非常溫暖。

現在仍然持續攝取葡糖胺，所有的料理中也加入葡糖胺，煮飯時也放入葡糖胺，和家人一起吃美味的糙米飯。

此外，父親的血糖值稍高，屬於邊界型的範圍，收縮壓爲175，有點高（血壓正常值收縮壓不到140）。於是讓父親1天喝2瓶葡糖胺。1個月後，血糖值變爲90～100 mg/dl，血壓也下降爲140以下的正常值。膽固醇也下降了30 mg/dl。除了攝取葡糖胺之外，注意飲食，維持正確的生活習慣，也有助於改善父親的半健康狀態。

5～6 提高ＮＫ細胞活性的阿拉伯木聚糖（米蕈）

我們的身體有免疫系統，能夠保護自身免於病毒或細菌等自己以外的「非自己」的侵襲。簡單的說，免疫就是身體的防衛構造。

免疫細胞是由多種細胞與組織所構成的，各自的作用與存在部分都不相同。免疫系統如網眼般遍布全身，攻擊對身體有害的物質。

尤其與癌症搏鬥的第一線，就是白血球中的「ＮＫ細胞（自然殺手細胞）」。ＮＫ細胞中含有帶有毒性物質的顆粒，一旦發現癌細胞，就會與其結合，注入該毒性物質，殺死癌細胞。這個顆粒就好像手槍的子彈一樣。

我們體內本來就會陸續產生癌細胞，但是在ＮＫ細胞和巨噬細胞（貪食細胞）等白血球的免疫系統發揮正常作用的情況下，就可以破壞這些癌細胞。

但是因爲某種理由，當免疫機能減退時，就容易得癌症。此外，癌細胞非常難以應付，它會吃掉免疫力的中樞血球，將其消滅（稱爲「吞噬作用」），同時也會去除手槍的子彈NK細胞的顆粒，奪走其攻擊能力。

現階段主要的癌症治療法，包括外科手術、化學療法（抗癌劑）、放射線療法等。外科手術對於僅限於原發部位的固體腫瘤非常有效，但是一旦轉移，就無法完全切除，仍有一部分的癌細胞殘留在體內。

無法動手術切除的癌細胞，只能夠藉著抗癌劑來殺死。雖然抗癌劑具有殺死癌細胞的力量，但是同時也會殺死正常的細胞，引發食慾不振、嘔吐、掉髮等各種副作用。此外，根據報告顯示，抗癌劑對於胃癌、肺癌及乳癌等固體癌的治療效果較差。放射線治療也一樣。視不同的癌症而定，有時效果較差，而且也有副作用的問題。

能夠彌補這些問題的就是免疫療法。免疫療法是指藉著外科手術、抗癌劑或放射線療法等方法，使癌細胞減少到某種程度之後，再活化身體原有的

免疫力，以擊潰癌細胞的方法。在此值得注意的是提高免疫力、喚起殺起癌細胞力量的「調整免疫物質（BRM，Biological Response Modifier 的簡稱）」。

在效果超群的調整免疫物質中，備受注目的是「阿拉伯木聚糖」（アラビノキシラン）。阿拉伯木聚糖是保護穀物種子的半纖維素（食物纖維）的主要成分，大量存在於米糠等禾本科的植物中。

阿拉伯木聚糖刺激NK細胞，使其分泌γ干擾素，其提高NK細胞的活性。這是經由各種動物實驗及臨床資料所確認的事實。

阿拉伯木聚糖是存在於自然界的成分，不用擔心副作用的問題，能夠安心的攝取。它可以預防癌症，也有助於治療癌症之後的復原。此外，還能夠預防及改善免疫系統的疾病。

體驗

由乳癌轉移所引起的腫瘤，在攝取阿拉伯木聚糖2個月之後消失，不用擔心復發的問題

東京都　中山啟子（46歲・主婦）

3年前，撫摸自己的胸部時，突然發現左胸有硬塊。到醫院接受檢查，結果診斷爲1cm的乳癌。

在醫院動手術切除腫瘤，進行放射線治療。後來，胸上面留下傷痕及若干硬塊。醫師說：「手術疤痕及放射線治療所引起的組織燒燙傷疤痕會慢慢變軟。」

我很擔心身體惡化。1年後，發現左邊鎖骨出現2個腫脹，觸摸時有點硬。立刻到醫院接受檢查，結果發現癌細胞轉移到淋巴腺。

醫師建議用抗癌劑來治療，但是我不喜歡這種治療法。以前聽說朋友因

爲乳癌接受抗癌劑治療，結果產生嚴重的副作用，不僅頭髮掉光，體力也大爲耗損，變得消瘦憔悴。因此，我決定採取代替醫療。

與熟悉代替醫療的醫師商量。他告訴我飲食、水、排泄、規律正確的生活非常重要。以前很喜歡吃肉，也吃很多乳酪等乳製品、蛋糕等甜點，咖啡和葡萄酒也是我的嗜好品。

但是攝取這些食物對身體不好，所以我改成未精製的穀物、蔬菜及海藻類等爲主的飲食。

聽了醫師的話之後，我的主食變成糙米，同時將小米、稗子、稷等5種五穀雜糧，以3比1的比例混合煮成雜糧飯，1天吃3次。早餐是胚芽糙米、青菜汁以及水果汁。另外兩餐則是以蔬菜和海藻類爲主。此外，每天喝1・5～2ℓ的水。

同時還攝取各種維他命、礦物質、必須氨基酸、糙米發酵食品、啤酒酵母、乳酸菌生成萃取劑、巴西蘑菇、蜂膠等營養輔助食品。攝取這些食物之

後，硬塊雖然没有變小，但是也没有變大。

癌症復發令我深受打擊。在醫師的指導之下，我決定在心理上對於所有食物都要採取積極的想法。不要考慮到癌症所帶來的死亡陰影，要相信自己絕對能夠治好。而且還要對自己說：「自己一定要得到幸福。」辭去壓力沈重的職場，開始學社交舞，經常去看喜歡的電影及參加音樂會。

生活規律正常，確立了身體的生物體規律。

1個月之後，在醫師的建議之下，開始每天吃3包能夠提高免疫力的阿拉伯木聚糖。硬塊逐漸縮小，2個月之後幾乎完全消失。過了2年，乳癌並没有復發。

在醫師的指導之下，進行一切能夠提高免疫力的行動，提升對抗癌症的效果。我認爲攝取阿拉伯木聚糖之後，更能夠幫助身體盡早消滅乳癌。

附錄

精神的毒素（壓力）的消除法

疾病是毒素的淨化作用，要治療疾病一定要消除毒素。造成疾病原因的毒素，特別需要注意的就是以下三項。即腸內腐敗產生的毒素、經口進入的化學物質的毒素，以及精神的毒素（壓力）這三種。

在此探討一下精神毒素（壓力）的消除法。壓力也會成爲活性氧過剩發生的原因。

★精神的毒素

關於毒素，先前已經探討了主要是由腸內製造的毒素，以及和食物一起進入口中的物質毒素，但是精神毒素也會成爲疾病的一大原因。

古代人說「病由心生」，理由就在於此。

人是感情的動物，在每天的生活中都會感到不滿、不安、擔心、悲傷、憂鬱、恐懼、憤怒等。

這些都是精神毒素，亦即一般所說的壓力。

壓力長期持續下去，會成爲疾病的原因。

因爲它會紊亂腦內荷爾蒙或副腎腺皮質荷爾蒙的平衡。

也會紊亂自律神經。

心療內科就是治療因爲精神毒素的原因，而呈現出肉體症狀的疾病，也就是以身心症爲主的治療處，就是要去除患者的精神毒素。

身心症這個疾病，其原因在於精神的毒素，光是利用物質毒素的對策是無法治好的。

本書爲各位探討過「不讓毒素進入身體」、「不在體內製造毒素」、「排除體內毒素」的重要性，在此爲各位簡單敘述一下關於精神毒素的對策。

①不依賴他人，即不要驕縱

爲了避免製造精神毒素，可以進行修業「悟道」。不過，普通人很難

做到這一點。

那麼，普通人要怎麼樣才不會製造出精神毒素呢？

首先就是不要期待他人、不要依賴他人。不要驕縱，要獨立。

幾乎所有的人對於自己的事情都會很努力，但是當別人拜託你時，可能無法照顧到令人滿意的地步。就算是父母、兄弟、孩子、丈夫、妻子、朋友、同事等，都不可以依賴。

依賴他人有時會感到不滿，不滿就會發展爲憤怒，憤怒就會成爲強大的壓力。

例如期待繼承父母一億元的遺產，但如果最後只得到一半，即五千萬元的遺產，恐怕就會怒火攻心了。

如果不期待會繼承所有的財產，就算得到一百萬也會很高興。因期待度的不同，可能會因爲得到五千萬而生氣，或因得到一百萬而滿足，其間會造成很大的差距。但這只不過是其中的一個例子而已。

因此，不要期待他人，這對精神衛生較好。

因爲不期待，所以在電車上有人讓位給你時，你會覺得很高興。面對相同的現象時，依賴他人的人會感到不滿或憤怒，不依賴他人的人不會感到不滿或憤怒。經常依賴他人，會成爲壓力堆積的原因。

②不要過於勉強，要依照自己的方式生活

第二點就是不要過於勉強，要照自己的方式生活。努力雖然很重要，但是做超出自己力量以上的事情，就會使壓力積存而感到很痛苦。

例如：自己的力量只有一〇的人，爲了愛慕虛榮而想要出一三分的力，也許看起來很好看，但是，最後卻會覺得很痛苦。這時如果只用八分力，反而會覺得很輕鬆，壓力也不會積存。

我不是叫大家偷懶、不要努力，而是不要超過必要以上，太過於努力，照自己的方式生活比較重要。

過於努力的人，可能會期待他人認爲自己很好。

不管別人尊敬自己、輕蔑自己，能夠保持自己的風格是最好的。

③不要有太多慾望

第三就是不要有太多的慾望。過於追求金錢、名譽、出人頭地，就會開始勉強的生活，成爲壓力的原因。

對任何事情都有貪慾的人，無法滿足於平凡的生活。其實能夠活在這個世界上，就已經是很快樂的事情了，但是，因爲有貪慾，而沒有察覺到這一點。

這個世界上充滿了很多快樂的事情，可是因爲慾望太過於強烈，而沒有察覺到這一點。

例如，光是能呼吸就是一種喜悅了，如果不相信，那麼請停止呼吸兩分鐘看看。然後你就會親身體驗到吸入空氣的美味、清新和難能可貴。

經濟上過著不富裕的生活的人，如果從食、衣、住、行各方面來看，可能過的是比以前的國王更奢侈的生活。古代的國王可能無法使用汽車、電視、飛機、空調設備、電話和冰箱吧。

現代人能夠使用這些東西，可以說是比古代的國王更幸福的了。不必要的貪慾產生時，會造成不滿。不滿會發展成憤怒，憤怒會提高壓力，成爲諸多疾病的原因。

④正面思考

第四就是要有正面的思考。關於這一點，暢銷書籍春山茂雄的「腦內革命」健康法書中也極力主張這一點。

根據「腦內革命」的說法，當壓力積存時，如果能夠積極地認爲「這是一種考驗，不也很好嗎？」，則腦內就會產生β內啡肽荷爾蒙，消除壓力。如果覺得「真討厭」，就會產生降腎上腺素等荷爾蒙，對身體造成不

良影響，成爲各種疾病的原因，並加速老化。

人活著一定要積極，看著人生的光明面來努力，就不會製造出精神的毒素。

「腦內革命」雖然是暢銷書籍，但是，病人並沒有減少。光是靠春山茂雄主張的正面思考、冥想、運動、飲食生活的改善，並無法治好疾病。但如果「腦內革命」再加上腸內腐敗的消除法，則應該就是最棒的健康法之書了。真是令人感到有點遺憾。

⑤不要與他人比較

這個世界不幸的開始，就是比較自己與他人的生活。

在這個世界上有有錢人，也有窮人。有美的人，也有不美的人。有高的人，有也矮的人。有薪水很高的人，也有薪水比較低的人。有的人住在豪宅，有人住在陋巷。有的人胖，有的人瘦。

如果各方面都要與他人比較，那就比較不完了。自己就是自己，擁有自信非常重要。如果拿自己與他人比較，一味的羨慕他人的生活，那也是沒有用的。

比較是無窮無盡的，因爲人外有人、天外有天。

宗教或哲學的世界對於這一點，會說這是捨棄相對的世界，而活在絕對的世界中。

人只要能夠維持最低的生活，食衣住行都方便，就能夠得到幸福。與他人比較，抱持著不滿，對健康當然不好。想要過著比別人更好的生活的想法並不好，對精神衛生而言，也不好。

能夠呼吸、能夠活著，就是最大的喜悅了。

故一定要避免與他人比較，避免使精神毒素積存。

⑥「順其自然」也是不讓精神毒素積存的一種生存方式

當來自外部的壓力較強，實在是無可奈何時，只要改變一下自己的心理，壓力就能夠減輕了。

不能避免的事情就是不能避免。

「順其自然」的心境，也是消除精神毒素的一種方法。

⑦「過去的已經過去，未來的還沒來，有的只是現在而已」

有的人對於將來會產生不必要的不安或恐懼心，這對健康並不好。

擔心自己會不會生病、擔心自己會不會遭遇不幸、擔心經濟方面可能沒有錢、擔心可能會發生不好的事情，經常感到不安，對於健康並不好。

實際上還沒有發生的事情，卻感覺好像已經發生似的，在那兒煩惱。

迪爾・卡內基在著名的「道路可以開闢」一書中，曾說「過去的已經

過去，未來的還沒有來，有的只是現在而已」。故對於未來的事情不必過於擔心，一定要重視現在。

關於未來，有備無患很重要，但是，過度擔心未來，對健康並不好。

後序

◉想要健康首先要從身體的淨化開始

提到「健康法」，各位首先會想到什麼？

大多數的人都會想到只要吃、喝之類，藉由從口中的攝取使肉體健康的療法等等，這種藉由飲食而增進健康、治療疾病的方法中，有效的實例確實不勝枚舉。但是，排除因飲食而產生的體內毒素（尚未消化的食物及老舊的廢物等等）卻是最重要的。無論接受任何良好的治療，一旦沒有使體內的毒素完全排出體外，那麼任何的治療都是沒有意義的。我想大家應該都很清楚這點。

對我們而言，健康的大敵便是體內的毒素，因此腸內淨化被視為未來相當重要而且不敢輕忽的療法。舉例來說，如果將身體看做一塊布，那

麼，對因體內毒素而被污染的布不論施予如何高級的漂白劑，這也是沒有用的。要將污濁的布染得美麗，首先必須先清除掉那些污垢處，弄成全白的布，才是最重要的。

現在已到了追求「身體、心理、靈魂」的真正健康之時代，這意味著從身、心、靈徹底排出毒素，才可以說是真正的健康體。

淨化腸內排泄體內毒素後，接著請繼續實施你正在做的飲食療法及健康法，你應該可以體驗到，自己的人生完全如想像中描繪的情景，開始活動運作起來。不僅是你，你周遭的人們也都能彼此分享幸福，過著可以共同感受喜悅的人生請努力吧！

◉恢復健康非常簡單

深受慢性病苦惱的人，長期蓄積毒性的體質一直如影隨形地依附著身體。那麼，要徹底恢復健康應該如何做才好呢？

只要解除積存那種毒性的「惡習」即可。

也就是說，日常的飲食、生活習慣、心理活動等及做人處事的風格，決定了身體的好壞，只要實行有規律、正常的日常生活就能逐漸使身體機能運作正常。

而累積毒素的「環境」如下，

1.焦躁不安、動輒發怒，吃東西常吃到肚子飽脹為止。

2.攝取以肉類為主的飲食，經常喝酒、攝取碳酸飲料及甜食。

3.經常吃油炸食物、速食。

4.很少走路、不做運動，少流汗。

如果希望有真正的健康，那麼務必要避免以上這些情況發生。

那麼，所謂的健康，是何等的容易啊！

◉創造真正的健康

身為21世紀的現代人，大家都已瞭解到所有的疾病幾乎都是因體內毒素的排泄不良而引起，也唯有完全排泄體內毒素，才是治療疾病的根本。

因此，形成慢性病的人，不外乎是長期飲食、生活習慣不良，引起排泄不良的體質，當體內毒素積存至一定的程度即易導致疾病。

慢性病患者即是漫長人生中積存毒素的系統一直伴隨著身體，而形成引起排泄不佳的原因卻是腎臟及肝臟本身的機能衰退。亦即，臟器的機能衰退成為供給全身毒性的根源，而這些毒素使臟器的機能衰退益加嚴重，無疑是雪上加霜，其結果也就呈現惡性循環的狀態。一旦陷入這樣的惡性狀態，非一朝一夕可改善。

如果能夠一眨眼之間各種的疾病都治好了——如果這個世界上有這樣的特效藥，那麼，發明特效藥的人應該獲得諾貝爾獎。如此一來，人們或

許再也不用去思考真正健康的問題了。

正因處於疾病狀態，人才能體會真正健康的重要性。疾病也是一種人生經驗的挑戰，疾病這一個「危機」，也是重新評估人們日常的生活習慣，以便創造出更為充實人生的關鍵時刻，我們何不把握機會化危機為轉機呢！

因此不要等到有慢性疾病再耗費冗長的時間去恢復健康，如此豈不真是宿命論！所以千萬要注意身體，那麼，就從今天開始做起，「只要開始，永遠不晚」。

健康新訊息圖書目錄

1・核酸ＤＮＡ的健康魅力	110元
2・星狀神經節阻斷療法	200元
3・天然的藥草・山葡萄	180元
4・苦瓜是糖尿病患者的救星	150元
5・哈日族的醫學常識	150元
6・礒谷式力學療法・股關節矯正法	300元
7・創造奇蹟的尿療法（一）	230元
8・負離子健康法・大自然神奇的能量	170元
9・癌症的剋星・核酸	170元
10・健康的天然飲食	230元
11・知識睡眠・好的睡眠帶來健康	230元
12・神奇的臭氧 O_3	200元
13・糙米汁的驚人效果	200元
14・基因・疾病・健康	170元
15・顛覆合成洗劑的毒害	170元
16・洋蔥戰勝高血壓、糖尿病	200元
17・胎盤素注射療法	170元
18・疼痛就醫指南	230元
19・胎盤素除皺・美白的效果	230元
20・基因檢查防治疾病	250元

最新預防醫學叢書

1・負離子好棒！	150元
2・負離子——提高免疫力・遠離疾病	170元
3・維他命、礦物質的功效	230元
4・硒的神秘療效	140元

5．電磁波危害人體　300元
6．天山雪蓮花的神奇效用　200元
7．桑葉驚人的成份與效用　200元
8．新世紀的新飲食法　230元
9．健康麻辣性愛撫（高潮版）　320元
10．苦瓜治癒糖尿病！降低血糖值！　170元
11．鍺（Ge）驚人的效果　200元
12．負離子使妳更美麗　170元
13．C型肝炎．肝病胎盤素療法實踐醫師的證言　230元
14．深海鯊魚的氧效果　170元
15．風化珊瑚的能量與健康　200元
16．負離子電位療法　200元
17．珊瑚負離子驚人的力量　180元
18．諾利果（Noni）抗癌．防癌的效果　200元
19．納豆的醫學　150元
20．年輕10歲的抗老化醫療——胎盤素　180元
21．電氣石負離子的威力　160元
22．具有速效性的胎盤素療法　180元
23．科學證明炭的效能——炭是地球的救世主　200元
24．綁腳健康法　200元
25．葡糖胺能夠消除疼痛！　200元
26．腳拇趾的彎曲、拇趾外翻自己可以治好　200元
27．提升癌症治療效果的遠紅外線溫熱療法　180元
28．過敏剋星——紅球薑　160元
29．足部預防醫學．健康就從腳部開始　200元
30．輔酵素Q10的奇蹟　230元
31．食物纖維之王——寒天　200元
32．巴西蘑菇驚人的抗癌效果　240元
33．矯正姿勢得到健康　230元

礒谷式力學療法系列叢書

★1・真正可以治病的第三醫學　　定價：300元

歷史與實蹟證明礒谷療法的效果！即將呈現在您眼前：真正「不吃藥、不打針、不開刀」治癒疑難雜症的第三醫學（股關節矯正法）驚人的成就！這將是未來醫學的一大突破（東、西洋醫學的盲點），更是人類健康的最大希望！（全方位的整體醫學）

★2・圖解礒谷療法大全　　定價：300元

送給因為無法治癒疾病而放棄的人！超越西方、東方醫學的始祖「第三醫學」！疾病出現之前就可以知道到底罹患何種疾病！震撼醫學界、藥學界，同時受到醫師和牙科醫師的注意，實際納入治療中！

★3・全人類的健康法　　定價：300元

對健康而言不可或缺的股關節轉位的矯正！綁腳療法能夠使股關節保持在正常的位置，消除心律不整、氣喘與腹痛。

★4・醫學的盲點在於股關節　　定價：300元

健康的身體寓於健康的股關節。讓股關節有元氣，就可以長生不老，活到100歲，甚至150歲！連醫師都不知道股關節的轉位與疾病的關係！一舉公開60年來的實蹟、效果及秘傳！200萬人因為礒谷式力學療法而得到健康！

★5・股關節的轉位與自我矯正法　　定價：300元

風行日本60年，200萬人因為礒谷式力學療法而得到健康！世界獨創三條帶子的綁腳法，讓您一覺好眠到天亮！人是由左右腳何者較長來決定疾病！因此只要矯正股關節的歪斜，就可以使左右腳的長

短一致，結果就能治癒疾病！

★ 6・聰明媽媽的健康法　定價：300 元

這是一本聰明媽媽的健康管理術——媽媽身為一家之主，只要您健康，全家永保安康！創造健康體的第一步——就從矯正股關節的歪斜與不正開始！

聰明、智慧的媽媽，從孩子 2 歲開始創造健康的身體！這是一本可以在家裡進行的「礒谷式力學療法」實踐講座！

★ 7・疑難雜症不用怕　定價：300 元

劃時代的治療法，就是正確恢復左、右腳角度的均衡，完全不需要接觸背骨，就能夠透過背骨保持脊椎的生理彎曲度的療法，能夠從根本上一生都維持標準的健康體質，好像長了翅膀似的身輕如燕，整天都心情愉快，再怎麼工作也不會感到疲勞的狀態。

★ 8・奇蹟的救命法　定價：300 元

根據「礒谷療法」的理論，不管男女老幼，對心臟病發作、胃痛、經痛、肚子痛以及其他疑難雜症的真正病因，都已經有了明確的剖析與實際的治癒案例，不但可以把病治好，甚至可以讓這些疾病再度復發或出現同樣的病狀和疼痛。

只要每個人平常多加學習，勤練施術的技巧，便能隨時隨地急救許多人命。

★ 9・突破現代醫學驚人的治癒成果　定價：300 元

對健康而言不可或缺的股關節轉位的矯正！突破現代中、西醫學的盲點，從根本原因開始進行矯正治療！如膝關節痛、肋間神經痛、神經痛、腰肌肉痛、氣喘等單純的疼痛，只要針對股關節轉位進行矯正治療，則瞬間就能夠治癒！內容詳述各種疾病的病理、症狀、治療

與症例（礒谷式力學療法的成果）。

★ 10 ・股關節矯正法 **定價：300 元**

礒谷療法的基礎理論與施術方法！人類健康的最大希望——針對疾病的根本原因施行根本治療！對於疾病有「預知」及「治病」的重大功效！安全、無痛！本書重點介紹礒谷療法的基礎理論與施術方法及礒谷療法的應用成果。

★ 11 ・驚人的駝背矯正法 **定價：250 元**

駝背非常危險！可怕的疾病根源！駝背矯正法學習重點——左右腳的不均衡→及脊椎的彎曲（側彎、後彎、駝背）→疾病→預防、矯正法、治療法！治療肩膀酸痛、頭痛、腰痛、容易疲勞的體質——預防疾病、恢復健康的第一步！何謂礒谷療法？自己管理一生健康的方法！（脊椎側彎、後彎的矯正法）

★ 12 ・綁腳健康法 **定價：200 元**

自己可以進行、不會痛、超簡單的整體平衡健康法！風行日本60 年，200 萬人因為綁腳健康法而得到健康！利用 1 條帶子即可治好腰痛、膝痛及身體的疼痛！

世界首創 3 條帶子的綁腳健康法！可以輕鬆去除「寒冷」、治好疾病！從四肢冰冷到失眠、婦女病、慢性病等都能夠輕鬆去除！讓您一覺好眠到天亮！在睡眠中、辦公室、學校、搭乘車子或飛機，隨時隨地都可以實行的「簡便健康法」，在 1 天的生活中盡量長時間綁帶！只要 1 條「綁帶」就能夠去除令人難以忍受的疼痛！隨時隨地都可以做！

全民運動——健康自我DIY！

◎何謂礒谷療法？自己管理一生健康的方法！

◎健康的基本在於姿勢，所以姿勢就是生命，每個人都必須使自己的姿勢正確，才能夠創造健康的社會。充分瞭解矯正方法，確實執行，就能夠向「疾病」說再見！

◎以後的你不可能比今天更年輕，要解決身體的病痛，就要從現在開始！醫學最終的目的是預防疾病，讓不幸罹患疾病的患者也能從根本原因加以治療，使其再度恢復健康。因此預防疾病以及從根本治療，避免身體生病才是真正的醫學。

壹、學習主旨：

推廣日本礒谷療法，響應及推廣全民運動——健康自我DIY，指導大眾日常生活中正確健康之姿勢，以達健康不求人。礒谷健康法對於疾病有「預知」及「預防」、「治病」的重大功效，而此療法的最大特點即在於針對疾病的根本原因施行根本治療。不論嬰幼兒、青少年、老年人等，是人人皆可以隨時做的自我矯正及徹底保健法。

貳、推廣重點說明：

1．偏差體形的根本矯正法——注意到現代醫學的盲點，進行革命性獨創的治療法。左右腳不均衡導致骨盆歪斜，脊椎的生理彎曲度失調，引發許多疾病。不需要使用藥物、不需要動手術，可以管理自己健康的劃時代保健法。

2．礒谷療法的真髓——剖析萬病根源駝背的根本原因，同時簡單扼要的解說任何人隨時隨地都可以進行的矯正法。美國雜誌『整骨

療法·E』中，稱讚礒谷療法能夠了解股關節歪斜的原因，同時正確診斷長短腳。堪稱是「21 世紀的健康真髓」。

3·現代醫學對局部症狀的研究相當進步，但幾乎完全不了解引起症狀的根本原因。預防疾病以及從根本治療，避免身體生病才是真正的醫學。只要了解礒谷理論，患者不需要服用藥物、也不需要動手術，體質就會慢慢恢復健康，維持最佳的抵抗力。

4·礒谷先生長期研究發現：人體所有疾病之根源在於股關節之不正常轉位（角度的不平衡），導致雙腳長度不一致，脊椎向左右彎曲，無法平衡，進而引起人體生理系統之反應，既然是股關節轉位的因素，所以只要矯正股關節的角度，扶正骨盆，讓雙腳長度相同，脊椎回復正常之生理曲線，就能使身體維持健康，一生都不會罹患疾病，推廣到全世界，同時當成保健衛生課程，融入義務教育中教育兒童，則醫學會飛躍的進步，也不必再負擔龐大的醫藥費。

5·「不良少年 8 成都駝背」、「駝背的孩子容易脾氣暴躁」，導致肩膀酸痛、頭痛、內臟疾病、失眠、身體狀況不好、自律失調症等，精神上的疲勞也會加深，變得焦躁、易怒、缺乏耐性、無法集中注意力、心浮氣躁。「保持筆直的姿勢，才能很有活力的活動身體，創造肌肉」。

6·健康的基本在於姿勢，所以姿勢就是生命。矯正左右腳的不均衡，讓脊椎回復到生理彎曲度，就能使得腰椎前彎。腰椎前彎是治療駝背唯一的方法。

參、學習對象：歡迎所有準備健康過一生的社會人士來積極參與。

服務專線：(02) 22186516 · 86675242
傳　　真：(02) 22181610

國家圖書館出版品預行編目資料

遠離疾病的生活／新谷弘實著.-- 出版.--

臺北縣新店市：正義，2007【民96】

面；公分．--(最新預防醫學：39)

ISBN 978-957-664-350-7〈平裝〉

1.生理治療 2.飲食 3.健康法

418.92 96005802

http://www.jybook.com.tw

原書名：ニューヨーク式腸の掃除法
作　者：新谷弘實
原出版：株式會社主婦の友社
NEW YORK SHIKI CHOU NO SOUJIHOU

Originally published in Japan in 2001 by SHUFUNOTOMO CO., LTD.
Chinese translation rights arranged through TOHAN CORPORATION, TOKYO.

最新預防醫學39

遠離疾病的生活

最新腸內淨化、飲食法（體內酵素決定壽命）！
預防疾病、提升免疫力！

著　　者■新谷弘實
出 版 者■正義出版事業有限公司
地　　址■台北縣 231 新店市中正路 554 號 5F
郵　　撥■19787283 正義出版事業有限公司
電　　話■(02)22188503・22188504・22186516
傳　　真■(02)22181610
e-mail■service@jybook.com.tw
印　　刷■久裕印刷事業股份有限公司
初　　版■2007 年 5 月　　三刷■2007 年 6 月
定　　價■230 元

總 經 銷■聯寶國際文化事業有限公司
營運中心■台北市 100 重慶南路 1 段 57 號 12 樓之 13
電　　話■(02)23112350
傳　　真■(02)23112316
地　　址■台北倉儲物流：
台北縣 221 汐止市康寧街 169 巷 29 號 8 樓之 1
電　　話■(02)26954083

Y0-ABY-576